D1583800

見るだけで 英語ペラペラになる

A4一枚
英語勉強法

The Magical Framework
to Learn English

ニック・ウィリアムソン
Nic Williamson

SB Creative

　「英文解釈はできるんだけど英会話は苦手……」という方、多くありませんか？

　それは、日本語のテンプレートに沿ってしゃべろうとするからなんです。

　テンプレートとは「型」のこと。英語でのコミュニケーションを楽しく自然にできるようにするためには、英語のテンプレートに沿ってしゃべることが大事なんです。

　ある程度の単語や文法のルールを覚えておけば、英文を読んで理解することはできます。ただ、書く、話す、のように、自分から英語で発信したいという場合、語彙力があって、なんとなく単語を並べるだけじゃダメなんですね。

　自分から発信するためには、「英語を話すための骨格」が必要です。

　英語が話せないという人のほとんどは、なんとなくいろんな知識が頭に入ってはいるけど、バラバラになっていて骨格がないというのが問題なんです。

　そこで必要なのが、英語の骨格をテンプレートとして学べるようにした「魔法のA4一枚シート」です。
　この骨格テンプレートにかたまりの動詞を当てはめれば、新しい文法を覚えなくても大丈夫！

この本の付録「魔法のA4一枚シート」を見てみてください。パーツA、パーツB、といった枠があるのがわかりますか?

　まずは、このAとBをどんどん組み合わせて短いフレーズをつくっていきましょう。たったこれだけでも、実はあなたはめちゃめちゃ英語がしゃべれるようになっちゃうんです。

　テンプレートに沿ってしゃべる1番の利点は、とにかく楽になるということ。

　「英会話って本当は簡単でいいのに、こんなに必要ない苦労をしてるんだよ」
　「しかもアレコレ考えた結果、かえっておかしな英語になってるよ」

　ということをこの本であなたに伝えたいんですね。

　このシートは、英文の構成要素を、たった4つのパーツに整理整頓しました。

　このシートを見てしゃべっていくだけで、ネイティブに絶対伝わる自然な表現がつくれてしまうんです。ノートもペンも必要ありません。このシートを使えば「英会話ってこんなにシンプルだったんだ」と実感してもらえるはずです。

読者特典

魔法のA4シートを
ダウンロードしよう！

本書で紹介されている「魔法のA4シート」や
「動詞・形容詞のリスト」他、さまざまな教材を
無料でご覧になれます。

- 巻頭のデザインされたシートをいつでも何枚でも
  ダウンロード可能！

- さらに自分でA4シートをカスタマイズして使える
  Excelデータも配布！

- 本書で紹介するYouTube動画のリンクも
  ひとまとめに紹介！

以下のQRコード、またはURLからアクセスしてください。
https://isbn2.sbcr.jp/08132

魔法のA4シートの使い方

1

時制をマスターしよう！
1章

1. 4つの時制から1つ選ぼう
2. 肯定形・否定形・疑問形から選ぼう
3. 口に出して言ってみよう

例 過去　否定 ⇒ I didn't go.
　　未来　肯定 ⇒ I'm going to go.

4

文の前に付け足そう！
4章

"I'm glad" "I hope" など、言葉
のかたまりを付け足そう

例 It's too bad I didn't see a movie.
　 I hope I go home.

5

文と文をつなげよう！
5章

パーツA・Bで2つの単文をつくり、それを
but, because, so や if, when, before…… を
使ってつなぎあわせてみよう

I'm going to go home so I didn't see a movie.

パーツ**C**

前に付け足すもの

文がそのままの言い回し

文	but / because / so	文

I'm glad	～でよかった
It's too bad	～で残念
I can't believe	～だなんて信じられない
It's no wonder	～はムリもない
I'm surprised	～は意外だ
I'm angry	～で怒ってる
It's not like	～というわけじゃない
It looks like	～のようだね
I have a feeling	～気がする
I'm worried	～で心配

未来を現在形で言う言い回し

I hope	～だといいな
I bet	きっと～だろう
What if	～だったらどうする？

文	if / when / before / after / until	文
普段のこと→現		現
未来のこと→未		現
過去のこと→過		過

3

形容詞の文をつくってみよう！
3章

シート裏面のパーツA・Bを使って形容詞の
時制をマスターしよう。

例 I wasn't sad.
　 I'm going to be thirsty.

文の後に付け足そう！

6章

パーツA・Bでつくった単文の後に、
さらにパーツCを付け足してみよう

例 I didn't see a movie crying.
I'm going to get up tired.

パーツA

4つの時制の練習ドリル

普段のこと・習慣

I / You / We / They	He / She / It
I work.	He works.
I don't work.	He doesn't work.
Do you work?	Does he work?

今している最中・一時的なこと

I'm working.
I'm not working.
Are you working?

過去

I went.
I didn't go.
Did you go?

未来

I'm going to go.
I'm not going to go.
Are you going to go?

I'm や Are you ? に置き換える

	I'm	Am I ?
ヒズ	He's	Is he ?
シズ	She's	Is she ?
イッツ	It's	Is it ?
ヨ	You're	Are you ?
ウェ	We're	Are we ?
ゼ	They're	Are they ?

パーツB

グループ化した動詞

一般

go home	帰る
go to work	会社に行く
go to the gym	ジムに行く
get a haircut	髪を切る
get money out	お金を下ろす
get up	起きる
go to bed	寝る
get to sleep	寝付く
stay home	家にこもる
order in	出前を取る
watch TV	テレビを観る
get ready	準備する
get changed	着替える
spend money	お金を使う

仕事

get promoted	昇格する
get transferred	異動になる
get fired	クビになる
meet the deadline	締切に間に合う
hit *my* target	目標達成する
do overtime	残業する
get paid	給料をもらう
get in trouble	怒られる

恋愛

ask 人 out	告白する
go out (with ~)	付き合う
break up	別れる
get back together	よりを戻す

遊び

see a movie	映画を観る
get a video	ビデオを借りる
go drinking	飲みに行く
go shopping	買い物する
go skiing	スキーに行く
eat out	外食する
go to the beach	海に行く

家事

clean the house	家の掃除をする
make dinner	夕飯をつくる
do the dishes	皿洗いする
do the laundry	洗濯する

パーツD

後に付け足すもの

形容詞

hungry
tired
drunk
angry
ready
empty-handed
sad
sick
not drunk
not ready

with 名詞

with a problem
with a headache
with a cold
with a hangover
with no money
with no plan

動詞ing

crying
smelling like alcohol
wearing contacts
thinking about that
not wearing makeup

2

動詞を入れ替えよう！

2章

パーツAの例文の緑色の部分に、パーツB
の動詞をいろいろ当てはめて口に出そう

例 I didn't see a movie.
I'm going to go home.

contents

序章 20年の英語指導と認知神経科学の
研究をベースに開発した「A4一枚」

1章 あらゆる英語表現の土台になる 「時制」を完全マスター

2章 「動詞」を増やして英語を どんどん言えるようになる

3章 「形容詞」を使った文章も
パッと言えるようになろう

6章 複雑な内容がちょい足しでサラッと言える「奇跡の応用」を使いこなす

20年の英語指導と認知神経科学の研究をベースに開発した「A4一枚」

日本人のつまずきポイントを解消する「魔法のA4一枚」のすごいメカニズム

テンプレートに当てはめるだけでいい。だから楽！

この本についている「魔法のA4一枚」は、

- ●基本的なパターン（パーツA）
- ●それに当てはめるだけで応用ができるフレーズ（パーツB）
- ●さらに前後に付け加えるフレーズ（パーツC・D）

を組み合わせて練習することができるシートになっています。

　このシートを使って、口からスラスラとフレーズがでてくるまで、何度も声に出して練習しましょう。このシートで繰り返し練習することで、英会話スキルが劇的に上達するのを実感できるはずです。

　まず使うのは、パーツAとBです。これを組み合わせると、

I go home.

のような、短い英語のフレーズができあがります。

　パーツＡとＢを使って、お互いにいろいろな組み合わせを試していくと、たったこれだけでも、あなたが普段、パッと口に出せる英語フレーズがどんどん増えていくんです。

　ＡもＢも単語一つずつを意識するのではなく、それぞれの表現を一つのかたまりとして覚えるのがポイントです。

　たとえば「家に帰る」と言いたいとき、**go** と **home** を別々の単語として覚えていると、

　「**go** と **home** の間に **to** が入るんだっけなぁ」
　「**my home** にするんだっけ？」

と迷っているうちに会話が終わってしまった……なんてことになります。こういう経験は誰でもあるはず。

　このように、話すたびにあれこれ考えていると会話からおいていかれるだけなんです。
　ちなみに、「家に帰る」は「**go home**」が正解。
to を入れても、**my** を入れても間違いになります。

　この例からも、単語を一個ずつ意識するのではなく"かたまり"として覚えるべきだということがわかります。

シートを使えば難しい文法を考えなくても、正しい文法の表現が言えるようになる！

先ほどの、

go home.

「これになんで **to** がいらないの？」
「**my** がなくても、なんで“私の家に帰る”って相手はわかる？」
と気になる人もいるでしょう。
　でも、英会話に「なぜ？」という英語の哲学は必要ありません。

　それよりも、英語をかたまりとして覚えること。
　「ここはこの形の言葉が入るんだね」と慣れていくことのほうが重要です。

　〈「帰る」は、**go home.**〉

　このように、ひとつの単語みたいに意識しましょう。それができるようになると、細かいことを考えなくても会話を進めることができ、さらに間違えないようになります。

　さて、「皿洗いをするのはいつも私です」ということを言いたいとき。

どうやって英語をつくりますか?

英語をまじめに勉強してきた人に多いのが下の英文です。

I am the one who does the dishes.

でも実は、

I do the dishes.

これで OK なんです。

この「**I do the dishes.**」という文も、A4 シートの「パーツ A」と「パーツ B」を組み合わせるだけでできます。小難しい文法の理屈は要りません!

むしろネイティブからすると、「**I am the one who does the dishes.**」のほうが不自然に感じてしまいます。

もうひとつ例を見てみましょう。

「朝起きたら有名人になっていた」と英語にするとどうなるでしょうか。

I woke up to find myself to be famous.

これは実際にとあるテキストに載っている例文ですが、絶対にそうは言いません。

正解は、

I woke up famous.

です。

　こちらのほうがネイティブとの会話では自然です。

point

　ちなみに、日本の英語教育では「find」という単語を使うことが多いですね。文法の構造を考えると教えやすく理解しやすいのかもしれません。

　ただ、英語で会話をするときには find を使わなくても、むしろ使わないほうがわかりやすいということが実は多くあるんですよ。

　ここからは、これまで習ってきた英語の文法表現はいったん置いておいてシンプルな英会話の表現を身につけていきましょう。

発音・リスニングもできるようになる！

　魔法のA4シートで英語をかたまりとして覚えていくと、さらに発音も良くなるんです。

　たとえば、

get up.

　get と up を、それぞれひとつずつの単語として捉えて

いると、「ゲット　アップ」というふうに発音してしまいがちなのですが、**get up** でひとつとして覚えていると、ネイティブのように自然に「ゲラップ」と発音することができますね。

　ほかにも、

shut up.

を「シャット　アップ」ではなく「シャラップ」、

pick up.

を「ピック　アップ」ではなく「ピカップ」というように、ネイティブに近い発音でしゃべれるようになります。しかも、自分の発音がネイティブに近いほど、聞き取りもできるようになります。
　ネイティブと同じ発音でしゃべれるほうがいいと思いませんか？

書くときは I'm going to 〜、話すときは I'm gonna 〜

　未来のことを指すときの注意点があります。
　未来のことを表現するときは、

be going to 〜

を使えば OK なのですが、会話の中では

I'm gonna 〜（アムガナと発音）

という言い方になります。

●書くときは I'm going to 〜
●話すときは I'm gonna 〜

と覚えておきましょう。

　この本の中では、未来のことは **I'm going to 〜** と表現しています。

point

　なお、**I'm gonna 〜** という発音は、ネイティブなら誰でも使っています。アメリカ人もイギリス人も、男性も女性も、若い人もお年寄りも、みんなです。

　I'm gonna 〜 は、もともとイギリスで生まれました。イギリスの貴族も使っているし、貴族にインタビューするジャーナリストも貴族に対して「gonna」を使っています。また洋画や海外ドラマでも使われているので、それを動画にまとめてみました。一度チェックしてみてください。

英単語の吸収スピードも上がる！

僕が日本語を勉強し始めたころ、まだ語彙力もそれほどなく、言いたいことがなかなか言えずにいました。

そこで、「まずは日本語の"骨組み"を覚えてしまおう！」と思いついたのです。

日本語で話すときの骨格を覚えてしまえば、あとはそこにいろいろな言葉や言い回しを当てはめていくだけで会話がスムーズにできるようになりました。

さらに、テレビを観たり漫画を読んだり人に教えてもらったりしながら当てはめていく言葉の数を増やしていったんです。

本書のA4シートでは、それとまったく同じしくみで、シートの骨組みにあなたがどんどん新しい単語を当てはめていくことによって、効率的に大量の英単語が身についていくように設計しています。

単語の増やし方は人それぞれに適した方法や目的に合ったやり方でかまいません。TOEICを受ける人は問題集を通してでもいいし、海外のドラマや映画が好きな人は、それを観ながら覚えるのもいいでしょう。

「わからない単語は辞書で調べてノートにまとめなきゃ」と構える必要はまったくありません。

今はさまざまなツールが充実しているので、ネットフリックスで映画やテレビを観てもいいですし、アプリなどを活用してもいいと思います。

肩に力を入れずに続けていきましょう。

Point

Netflix を使って、単語や表現を効率よく覚えていくコツは、ぜひこちらの動画をご覧ください。

「A4一枚」の基本的な使い方

　さあ、それでは早速「A4一枚」の基本的な使い方を見ていきましょう。手元にシートを広げてみてください。

　パーツA〜Dの4つに分かれていますね。

- ●パーツA　4つの時制の練習ドリル
- ●パーツB　グループ化した動詞
- ●パーツC　前に付け足すもの
- ●パーツD　後に付け足すもの

となっています。

パーツA　4つの時制の練習ドリル

　パーツAは、

- ●①普段のこと・習慣＝現在形
- ●②今している最中・一時的なこと＝現在進行形
- ●③過去＝過去形
- ●④未来＝未来形

の4つのグループに分かれていますね。

この時制こそ、英会話の基本。

後ほど、「時制は基本の4種類（48ページ）」でさらにくわしく説明します。ここでは、さらっと理解しておけばOKです。

パーツB　グループ化した動詞

パーツBは、

- **go home**　帰る
- **meet the deadline**　締め切りに間に合う

など「グループ化した動詞」が載っています。

先ほど「動詞はかたまりで覚えましょう」とお話ししましたね。

まさに、その"かたまり"がズラッとならんでいるのがパーツBです。

このままの形、つまり"かたまり"で覚えてくださいね。

パーツC・D　前・後に文を付け足すもの

パーツCとDは、パーツAとパーツBを組み合わせて作った文の前、または後にくっつけるパーツです。前に付け足すものがパーツC、後に付け足すものがパーツDに載っています。

① 短い単文をつくる

　魔法のA4シートを使って、まずは試しに短い単文をつくってみましょう。詳しくはのちのちの章で解説しますので、ここではシートを使うと「どんな英文がつくれるのかな？」ということだけ知っておいてください！

　では、練習です。たとえば、「彼は職に就いています」と英語で言いたいときは、どうすればいいでしょうか？

　「うーん、"**He has a job.**"ですか？」
　「それとも、"**He is an office worker.**"かも？」

　いえいえ、もっともっとシンプルで、簡単な言い方がありますよ！　シートを使って英語を学べば、こういうことがすぐ反射的に言えるようになります。

　まずはシートのパーツAを使います。シートを見てみてください。
　「職に就いています」は、パーツAのどのブロックにあてはまりますか？

● 「普段のこと・習慣か？」
● 「それとも今この瞬間にやっている最中のことか？」
● 「あるいは未来のこと？」
● 「過去のこと？」

そう、「普段のこと・習慣」ですよね。

　なので、A4シートで、パーツAの「①普段のこと・習慣＝現在形」を見てみましょう。どういう表現になっているでしょうか？

He works.
彼は職に就いています。

となっていますよね。これでOK！　ネイティブにはこれで伝わってしまいます。

　では、「彼女は髪を切りました」はどうでしょうか。

　「切りました」は「過去」のことですよね。ですから、シートのパーツAの「過去」の部分の言い方にしましょう。

　そして「髪を切る」は、パーツBの部分に「**get a haircut　髪を切る**」とあるので、これをパーツA「過去」の言い方に当てはめて、

She got a haircut.
彼女は髪を切りました。

となります。

「魔法の A4 シート」を使った英語の勉強とは、これだけ！　あまりにも簡単で、シンプルですよね？

　でもじつはこれを何回か繰り返すだけで、日本人に最も足りない「時制」の感覚をすぐにマスターできてしまうんです。

　パーツ A の使い方と、「時制」については、詳しくていねいに、1 章で解説していきますね。

② 単文にパーツ C を付け足す

　さあ、次は「彼が職に就いていてよかった」という文をつくってみましょう。
　先ほど "**He works.**"（彼は職に就いています）という文をつくりましたね。
　その文の頭に、パーツ C のなかから、

I'm glad 〜
〜でよかった

を付け足すだけでできちゃうんです！
　つまり、

I'm glad + he works.

I'm glad he works.
彼が職に就いていてよかった。

になります。

　パーツＡとＢでつくった文の頭に、また別のかたまりをパーツＣのなかから選んで付け足すだけです。

　これと同じ要領で、「彼女が髪を切ったのは残念」という文もつくれちゃいます。

　先ほど "**She got a haircut.**" という文をつくりましたね。

　その文の頭にパーツＣから、

It's too bad 〜
〜で残念

を付け足して、

It's too bad + she got a haircut.

It's too bad she got a haircut.

になります。やっぱりＡとＢでつくった文の頭にまた別のかたまりを付け足すだけです。

このようにパーツＣを使って、文の左側にかたまりを付け足す言い回しは、４章で説明していきます。

③ 文と文をつなぐ

さて、「雨が降っているから行かない」という文はどうでしょうか？　このようなことを言いたい場合は、シートのパーツＣにある「**but, because, so**」や、「**if, when, before ...**」を使います。（また、「雨が降っている」のような天候の動詞は 79 ページで使い方を紹介します。）

「行かない」は、パーツＡ・Ｂを見ると、

I'm not going to go. (未来・否定)

「雨が降っている」は、パーツＡ・Ｂを見ると、

It's raining. (今・肯定)

とそれぞれつくれます。

こうしてつくった２つの文を、パーツＣの

because
なぜなら

でつなぐだけ。すると、

I'm not going to go because it's raining.
雨が降っているから行かない。

と立派な英語になります。

　では、「私たちは別れたけど、よりが戻りそう」という文はどうでしょうか？　またシートを見てみてください。

　「私たちは別れた」は、パーツ A・B を見ると、

We broke up.（過去・肯定）

　「よりが戻りそう」は、パーツ A・B を見ると、

We're going to get back together.
（未来・肯定）

　そして、パーツ A と B でつくった 2 つの文を、

but
だけど

でつなぐだけ。

We broke up but we're going to get back together.
私たちは別れたけど、よりが戻りそう。

となります。

　このようにパーツ C を使って、文と文をつなぐ言い回しは、5 章でじっくり解説していきます。

④ 単文の後にパーツ D を付け足す

　次は「コンタクトをつけっぱなしで寝た」という文をつくってみましょう。

　今度はパーツ A・B でつくった単文の「後」に、パーツ D のなかからかたまりを選んで付け足します。

　パーツ A と B でつくった、

I went to bed. （過去・肯定）
私は寝た。

という単文に、

wearing contacts
コンタクトをつけて

というパーツDを付け足して、

I went to bed ＋ wearing contacts.

I went to bed wearing contacts.
コンタクトをつけたまま寝た。

となります。

　もう一つ、「彼はいつも疲れて帰ってくる」という文を
つくってみましょう。
　パーツAとBでつくった、

He comes home. （普段・肯定）
彼は帰ってくる

という単文に、

tired
疲れて

というパーツDを付け足して、

He comes home ＋ tired.

He comes home tired.
彼はいつも疲れて帰ってくる。

となります。ＡとＢでつくった文の最後にまた別のパーツを付け足すだけです。

　パーツＤを使って、文の後にかたまりを付け足すこの言い回しは、6章で解説します。

このメソッドが
認知神経科学的に合理的な
理由

シートの使い方のコツ

これまでお見せしてきたように、たった一枚のA4シートを活用していくだけで、数千通りの英語フレーズが簡単につくれてしまいます。しかもそのすべてが、ちゃんとネイティブに伝わる自然な英語なのです！

そして、この膨大なフレーズが、シートを使わずにいつでもどこでもパッと言えるようになったら、すごいと思いませんか？

そうなるためのコツとしては、つくったフレーズをちゃんと口に出して練習するのが大事です。

僕は実際にこのシートを使って、僕の教室で生徒の方に英語を教えています。

でも、最初にこのシートを生徒の方に紹介すると、「私はもっと自由に好きな文をしゃべりたい」と言う人もいます。

　しかし僕はそこで、「自由にしゃべろうとした結果、英語はかえってわかりづらくなってしまうんですよ」と必ずお伝えしています。

　「英語の型」がない状態なのに英語を自由にしゃべろうとしている人は、どんなに勉強しても、実際にはまったく自由にはなれないんです。そういう人は脳の中にある「日本語の型」に沿って英語を話しているだけで、その結果、英語のフレーズをつくるのに時間がかかったり、ぎこちなく不自然な英語表現になったり、あるいは英語を使っているだけで疲れてしまいます。

　だからこそ、「英語の型」を身につけるのが、英語の他の何を勉強するよりも、まっさきに重要なのです。「英語の型」を一度身につけてしまえば、言いたいことを脳が勝手に「英語の型」にあてはめてくれるので、英語をパッと、自然に、疲れずに話すことができます。それこそが本当に「自由」に英語を使えているということですよね。

　みなさんも、いったん自然な英会話の骨組みを身につけませんか？　自由に話すのはそのあとからでも十分です。

　たとえば日本刀をつくるときは、まず型をこしらえますよね。しっかりとその型が崩れないように鍛えるからこそ、そのあとずっと使えるようになるのです。

それと同じで、英会話にも「型」があることを知っておいてください。最初にあえて規制をすることで、型は形成されます。

脳には神経の「回路」がある。同じ回路を使えば使うほどシナプスが太くなる

　どうして僕が、「英語の骨格・型」をまっさきに覚えたほうがいいと考えるようになったのか。その理由についてお話ししましょう。

　僕は大学で認知神経科学を専攻していました。このA4シートは、そのとき学んだ知識をベースにつくっています。

　人間の脳には、膨大な数の「神経細胞（ニューロン）」があります。この細胞と細胞が「シナプス」というつなぎ目を通して化学物質を送りあい、「神経回路」をつくっています。ざっくり言えば、この神経回路こそが、その人の「思考回路」になるということですね。

　そして人間の脳の面白いところは、脳のなかの同じ神経回路、同じ思考回路を使えば使うほど、その回路が強くなるということです。シナプスは、その思考回路を使えば使うほど太くなっていきます。

　たとえるなら、同じところを水が流れると土に溝ができ、

そこに溝があるから、さらにまた水がそっちに流れていって、最初は小さな溝だったものが最終的に深く大きな川となるようなイメージですね。

でも、このしくみには悪い面と良い面があります。

たとえば、間違ったゴルフのスウィングをすればするほど、その間違ったスウィングが定着して、悪い癖がどんどん直しにくくなりますよね。逆に正しいスウィングをすればするほど正しいスウィングが定着して、意識しなくても自然にできるようになります。

同じように、人はネガティブに考えれば考えるほどネガティブに考えやすくなります。逆に、ポジティブに考えれば考えるほど、ポジティブに考えやすくなります。自然とそっちの方向に考えが導かれるんです。

じゃあ、ネガティブな思考回路が強くなってしまった人が、ポジティブな人に変わるにはどうすればいいのでしょうか？　一度太く、強くつくられてしまった脳の神経回路を、変えることはできるんでしょうか？

結論から言えば、人間の脳はそれができるようにつくられています。今までと違う、新しい神経回路・思考回路をつくることはできます。

そのためにはその新しい回路をたくさん使うことで、回

路を太くしていくことが大事です。

　そこで必要なのが、「型」なんです。脳を自由にしていると、思考は今までの回路につい流れてしまいます。だからあえて「型」をつくることで、意図的に新しい回路に沿って思考できるように繰り返します。

　新しい思考回路・神経回路をつくるのは最初が1番難しいんですけど、新しい回路を使えば使うほど強くなるし、古い回路は使わなければ使わないほど弱くなるので、やっているうちに簡単になります。

「英語を頑張って勉強したのに身につかなかった……」
「英語を学ぶのがツラい、苦しい……」

　そういう人は、ラクに、効率よく、楽しく英語が学べるような新しい思考回路をつくったほうが、ずっといいですよね？　それを簡単にする「型」として、僕はこのA4シートをつくったのです。

英語の回路をつくるには、その回路をたくさん使うしかない！

　英語の思考回路を形成するには、その神経回路をたくさん使うしかありません。それは、英文法や英語解釈の理論をイチから勉強するということではありませんよ。

　ピアニストは音楽理論を日々勉強しているわけではないですよね。鍵盤に手を乗せると自然に手が動き出すくらいになるまで毎日何時間も練習しているはずです。

　英会話も同じで、ネイティブを前にすると自然に英語のフレーズが口から出てくるようになるまで何度も何度も口に出して練習することが大切です。

　このシートを見て、英語で考え英語を口に出すトレーニングをすると、脳に「英語の回路」ができて言葉が出てくるようになってきます。

　実際、僕が教えている生徒さんでも、シートを使って練習している人としていない人では一目瞭然というほど差がついています。ピアノ教室も同じですね、練習する子としない子では全く違いますよね。

　口に出して何度も練習していると、日本語とは違う英語の思考回路、英語のテンプレートに沿って考えたりしゃべったりすることができます。すると、ネイティブの感覚が身についていくんですね。

　だからネイティブの僕も、そういう人とは違和感なく英語での会話を続けることができます。

日本人が英語を勉強しても全然身につかないのは、「日本語を脳内で訳す」から

① だからパッと出てこない！

日本のみなさんは、話そうとするとき、どうしても英文法のことを考えてしまうんですね。この言い回しがネイティブにとって自然かどうかよりも、文法的に正しい言い回しなのかが、気になるのではないでしょうか。

受験英語の影響で、英文法や英文解釈を中心に勉強してきたので仕方ないのですが、英語がパッと出てこない理由の1つ目は、ここにあるのかなと思っています。

でも考えてみてください。みなさんは普段の会話で、日本語の文法のことを考えながら話していますか？　考えていませんよね。それはネイティブも同じ。いちいち英文法を意識して話している人はいません。私たちは文法学者ではないので、そこまで文法にとらわれなくても問題ないんです。

2つ目は、みなさんの日本語のレベルと英語のレベルが違うので、かえって難しい英語表現をつくることになって

しまうことです。

　日本人は日本語のネイティブなので、その日本語で考える英文はどうしても難しい表現になってしまいます。高いレベルの日本語で考えた文を、通常の英語力で訳していくというのは相当難しいことなんです。

② だからパッと伝わらない！

　日本語から無理やり英語をつくると、ネイティブが使わない不自然な表現になって伝わらないということがよくあります。

　たとえば日本人の英語学習初心者は、
「買い物はいつも銀座です」を

My shopping is always Ginza.

と訳しがちです。
　でも実は、これはすごく変な英語なんです。
　もっとシンプルに、

I go shopping in Ginza.

が正解です。

時制を扱う1章で詳しく説明しますが、日本の学校ではカリキュラムを優先して英語の授業を進めているので、中学1年生の最初のほうで現在形、2年生で過去形、3年生で現在完了形、というように、1番大切な時制をとびとびで習いますね。

　その間、まだ習っていない知識を使わないように先生が例文をつくるので、どうしてもネイティブが使わないような不自然な英文になってしまうんです。

　たとえばネイティブにとっては進行形を使うような意味の文でも、「まだ進行形を習っていないから現在形で書いてしまいましょう」となることがあります。このズレが後々にも影響しているといえます。

③ だからパッと身につかない！

　本来は中学レベルの英単語でめちゃくちゃ話せるのに、いつまでも日本人に英語が身につかないのは日本語の語彙を直訳しようとするからです。単語を勉強しなきゃと思いすぎている人も多いですね。単語の使い分けは、英語は意外とアバウトなんです。

　たとえば「会社に通う」という簡単なことを英語で言おうとしても、「あれ？　通うって英語でなんて言うんだっけ？」と迷ってしまうことはありませんか。

I go to work.

「行く」も「通う」も「向かう」も「**go**」です。簡単ですよね。

単語を難しく考えてしまうエピソードでもう1つ。

以前、生徒さんとこんなやりとりをしたことがありました。

生徒「明々後日って英語でなんて言うんですか?」

僕「明々後日っていう単語はないですよ」

生徒「じゃ明々後日って言いたいときどうするんですか?」

みなさんはどう思いますか?

日本人は、明々後日に該当する英語を探さなきゃと考えますが、ネイティブはこう考えます。

「今日は金曜日だから、明々後日は月曜日。月曜日(**On Monday**)って言えばいいんじゃない?」

「三日後(**In three days**)でもいいね」

この発想の仕方が必要です。

1番足を引っ張っているのは、日本語にこだわることなんです。日本語からスタートしない、英語からスタートすることができたら一気に簡単になりますよ。

日本の学校のやり方から脱出しよう

いまは英会話教室、YouTube、和英変換アプリなど、さまざまな方法で英会話を学ぶことができます。

ただ受験勉強と同じように、テキストを読んで説明していても結果は同じなんですね。大切なのは、いかに英語で考えられるようになるかです。

先に指摘した問題点を解消するためにも、日本語で考えることをやめて英語で考えていくことが必要です。この切り替えができるかどうかが大きなカギになりますよ。

アインシュタインはこう述べています。

「同じことを繰り返しながら違う結果を望むこと、それを狂気という」

これまで何度もトライしてきたけど英語が話せない……という方は、この本をきっかけに英語で考えるようにすることをやってみませんか。

みなさんの勉強をサポートする「魔法のA4シート」を手元に広げて早速はじめましょう！

あらゆる英語表現の土台になる「時制」を完全マスター

英語は「時制」が超重要！

時制は基本の４種類──その文が いつの話なのかを表す

英語では「時制の使い分け」がとても重要です。
A4 シートのパーツ A を見てください。

- ●普段のこと・習慣（現在形）
- ●今している最中・一時的なこと（現在進行形）
- ●過去（過去形）
- ●未来（未来形）

に分かれています。この４種類の時制をしっかりと体得
することが英語で考えられるようになる第一歩です。

普段のこと・習慣（現在形）と、今（現在進行形）の違い

現在形は「普段していること・習慣」を表します。しか
し、現在形は「今、現在のこと」と思っている人は多いの
ではないでしょうか。

現在形は文法の基本中の基本ですが、ほとんどの人に誤

解されています。現在形では、今、その動作をしているかどうかは関係ありません。

　一方、現在進行形は「今している最中のこと」もしくは「一時的にしていること」を表します。

　この２つを比べてみましょう。たとえば現在形である、

I wear makeup.

は「普段化粧をしている」という意味で、今化粧しているのか、すっぴんなのかは、全く関係ありません。

　逆に、現在進行形である、

I'm wearing makeup.

は「今化粧している」という意味で、普段化粧している人なのか、すっぴんで過ごすことが多い人なのかどうかは全く関係ありません。

過去（過去形）と未来（未来形）の感覚

　過去形は文字どおりで過去のこと。１秒前でも１００年前でも同じ過去形で表します。
　未来形も文字どおりで未来のこと。１秒後でも１００年後でも同じ未来形で表します。

未来（未来形）の３つの表現と、万能な言い方

　未来形は他にも「**will**」もありますが、実は「**will**」はいつでも使えるものではないのです。

　英語の未来形は３つあります。

- **will**……「今決めたこと（それじゃ〜するよ）」又は「決まっていないこと（しそう・するでしょう）」
- 現在進行形……「決まっている未来・既に立てている予定（〜するんだけど）」
- **be going to**……いつでも使える唯一の未来形

　たとえば、次の英文はそれぞれ、

I will play tennis tomorrow.
それじゃ、明日テニスするよ。

I'm playing tennis tomorrow.
明日テニスをするんだけど。

という意味ですが、次の英文はこのどちらの日本語の意味にも使えるんです。

I'm going to play tennis tomorrow.
「それじゃ、明日テニスするよ」または「明日テニスをするんだけど」

パーツ A の **be going to** を使えば、今決めた未来でも前から決まっている未来でも、どんな未来でも大丈夫です。

パーツ A「4 つの時制の練習ドリル」の使い方

英語で何かを言いたいときは、

● Step 1　時制を選ぶ（4 択問題）
● Step 2　肯定、否定、疑問のどれかを選ぶ（3 択問題）

という手順を踏みます。

魔法の A4 シートでフレーズをつくるときも、この通りに考えていきましょう。

Step 1 の時制は 4 択問題です。言いたいことがどの時制なのかを選びます。このとき日本語の言葉をヒントにせずに、内容で判断するようにしましょう。

これからのことを言うときは未来形、昨日のことを言うときには過去形、というようにです。

Step 2 では肯定、否定、疑問のどれかを選びます。
たとえば、シートのパーツ A の部分には、

Does he work?

と書いてありますが、「**work**」は「例」です。パーツ B から実際にあなたが言いたい内容を選んで「**work**」の代わりに置き換えましょう。

この 2 ステップを何度も練習することで、英語で考える感覚を身につけていきましょう。

言語を習得するためには、例文をいくつか暗記するのではなく、その下にある「骨格」を脳に定着させましょう。いろんな違う内容を、同じ骨格に当てはめることが、その骨格が 1 番定着しやすいです。

さて、クイズです！
日本語に沿って直訳せずに、Step 1 と Step 2 を意図的に踏んで考えましょう。

Q. 「私は昇格できなさそう」は？
時制は？→未来
肯定？否定？疑問？→否定

となるので、パーツ A から、未来形の否定文「**I'm not going to**」を選ぶのが正解です。
英文は、

I'm not going to get promoted.
私は昇格できなさそう。

となります。

　ちなみに日本語の感覚でこの文を考えると、「できなさそう、〜しそう」は、

seem to

　「〜できない」は、

not be able to

が浮かぶので、

I seem to not be able to get promoted.

と言ってしまう人がほとんどなんですね。
　でも、それはとっても不自然です。

　やはり先程のクイズの正解の「**I'm not going to get promoted.**」が自然な言い回しとなります。

　「未来形」で「否定文」とだけ考えるのが英語の感覚です。日本語表現の「しそう」や「できない」に引っ張られて、そこにこだわって英語に訳そうとしてしまうのは、まったく必要のない努力です。むしろ逆に、英語で最も大事な「時制」を無視してしまうことになります。実際、上記の例では、「昇格できなさそう」は未来のことなのに「**I**

seem to not be able to ...」は現在形で、未来形になっ
てないんですね。

日本語は「単語の使い分け」でコミュニケーションする。英語は「時制の使い分け」でコミュニケーションする

「時制の使い分け」は日本語より英語の方が細かいです。

たとえば日本語で、「している」という言い方は、「普段」に対しても「今」に対しても「未来」に対しても、そして「過去」に対しても使ったりします。

次の言い方は、全部「している」という言葉は変わっていませんよね？　そこに注目してみてください。

● 「普段何しているの？」（普段）
● 「今何しているの？」（今）
● 「明日何しているの？」（未来）
● 「もうやっているのでわかります」（過去）

英語は次のように必ず時制を使い分けます。言い方がそれぞれの時制ではっきりと変化していますよね。

● **What do you do?**（普段何しているの？）
● **What are you doing?**（今何しているの？）
● **What are you going to do tomorrow?**（明日何しているの？）

● **I understand because I did it before.**（もうやって
いるのでわかります）

否定形についても同じです。

たとえば、「していない」という日本語の言い方も、「今
していない（今）」という意味だったり、「いつもしていな
い（普段）」という意味だったり、「昨日はしていない（過
去）」という意味だったりします。

英語だと、

● **I'm not doing it.**（今していない）
● **I don't do it.**（いつもしていない）
● **I didn't do it yesterday.**（昨日はしていない）

と必ず使い分けます。

また、実は日本語にはこれといった未来形は、存在しな
いんです。

たとえば次の2つの文を見比べてみるとよくわかりま
すが、動詞の言い方が未来のことを言うときでも変わって
いません。

●「いつも5時に<u>起きる</u>」（普段）
●「明日は5時に<u>起きる</u>」（未来）

一方、英語だと必ず時制を使い分けます。

● **I get up at 5.**（いつもは 5 時に起きる）
● **I'm going to get up at 5 tomorrow.**（明日は 5 時に
  起きる）

point

　4 つの時制の使い分けについての動画もぜひ観てみて
ください。

「単語の使い分け」は英語より日本語の方が細かい

　英語が日本語より時制の使い分けが細かい代わりに、日本語では「単語の使い分け」が細かいという特徴があります。

　たとえば、日本語では「行く」「通う」「向かう」を使い分けますが、英語ではどれも「**go**」を使うだけです。

　別の例として、「生命」「人生」「生活」という日本語の単語がありますが、これらはどれも英単語では「**life**」です。

たとえば、2つの文を比べてみましょう。
「ジムに通っています」は、

I go to the gym.

「ジムに向かっています」は、

I'm going to the gym.

「通っている」は「普段のこと」、「向かっている」は「今のこと」ですよね。

日本語では、どちらも「〜ってます」と時制の使い分けはありませんが、英語では「**I go**」「**I'm going**」と時制を必ず使い分けます。

一方、日本語では「通う」「向かう」と単語の使い分けで区別していますが、英語ではどちらも「**go**」と単語の区別はありません。

英語と日本語では、区別の仕方が違うんです。

英語では「時制の使い分け」で区別しているけど、日本語では「単語の使い分け」で区別しています。日本語と英語が大事にしているものが違います。

ですから、日本語の感覚のまま英語に挑むと、要らないところで努力して、大事なところを無視してしまうのです。

たとえば「通っています」と英語で言いたいときには、それは「普段のこと」なのに、「日本語では"〜ってます"だから進行形だ！」と変に考えて間違います。

　その上さらに、日本語の単語の細かい使い分けに影響されて、「"通う"？　"通う"は英語で何と言うんだろう？あぁ、"通う"がわからない！」と頭を悩ませますが、本当は誰もが知っている「**go**」でいいのです。

　この日本語と英語の違いを最初の段階で理解して、英語的に考えるようにすれば、ず〜っと楽にもなるし、ず〜っと自然な英語になります。

細かい文法を考えずに、テンプレートに当てはめる！

　僕が日本語を学び始めたときは、みなさんが英語を学んだときと同じように、文法中心でした。すごく細かい複数の文法項目を同時に考えるやり方で、４年間勉強しても、１つの簡単な文をつくるのが一苦労でした。

　たとえば、「行きたくなければ行かなくてもいいよ」という文。日本語の文法で考えると、次のような複雑なステップになります。

●① 「行く」の「く」を「き」に置き換えて、「たい」をつける→「行きたい」

●② 「行きたい」の「い」をとって「くない」をつける→「行きたくない」

●③ 「行きたくない」の「い」をとって「ければ」をつける→「行きたくなければ」

●④ 「行く」の「く」を今度は「か」に置き換えて「ない」をつける→「行かない」

●⑤ 「行かない」の「い」をとって「くて」をつける→「行かなくて」

●⑥ 「もいいよ」を加えて「行かなくてもいいよ」

「行きたくなければ行かなくてもいいよ」という非常にシンプルで日常的な日本語のフレーズでも、日本語の文法から生み出そうとすると、こんなにたくさんのことを考えなければしゃべれません。

そこで僕はある日、「日本語の文を分解して、言葉のかたまりやテンプレートで考えた方が簡単じゃない?」と気づいて、

～ | たくなければ |　＋　～ | なくてもいい |

のようにフレーズを覚えるようにしたら、あっという間に日本語を話せるようになったんです。

ちなみに、日本語のネイティブであるあなた、日本語を話すときに、どちらのやり方が近いでしょうか?

後者ですよね?

「"行く"の"く"を"き"に置き換えて"たい"をつける」なんて考えないですよね？

- ●〜 たくなければ には、「行き」「飲み」「言い」が入ります。
- ●〜 なくてもいい には、「行か」「飲ま」「言わ」が入ります。

　これが事実として、日本語の骨格なのです。

　そこに対して「なぜ？」と考える必要はなくて、「これにはこの活用ね」と覚えればいいのです。

　「どうして"行かたくなければ"はダメなの？」

　「どうして"行きなくてもいい"は言えないの？」

と聞かれても、何と説明します？

　英語も同じです。

　「ここでは動詞の原形を使う」「ここでは動詞の ing 形を使う」などと覚えてしまって、そしてそんな意識をしなくても間違えずに言えるようになるまで、いろ〜んな内容を、た〜くさんそのテンプレートに当てはめていくだけです。

　意識的な脳の「知識」ではなくて、無意識的な脳の「感覚」をつくるのです。

　そうなるためには練習あるのみ！

日本の学校のカリキュラム にも問題がある

1学期で現在形、2学期で現在進行形、3学期で過去形など、バラバラに覚えさせられる

　英語は小学校から教科として少しずつ触れていきますが、文法をしっかり勉強するのは中学校になってからです。そのカリキュラムの並び方が問題なんです。

　中学1年生の1学期に現在形を習い、2学期で現在進行形、3学期に過去形、2年生になってようやく未来形が出てきますね。

　こんなふうに時制をバラバラに勉強したのでは英語の感覚は身につきません。

　それに、この流れは英語をとても難しいものだと意識させてしまいます。

　「未来形はこのイディオムを使ってね。**to** のあとはこれがきてね……」と説明されると、誰だって「難しいなぁ～」となってしまいます。

日本の学校のカリキュラムの問題点でもう１つ。

　日本では、なぜか「例外」の動詞である **be 動詞**と **have** の説明から英語の授業が始まるという特徴があります。

　なぜ **be 動詞**と **have** が「例外」の動詞かというと、どちらも「今のこと」を表しているのに、現在進行形ではなく現在形を使うからです（基本的には、ですが）。

　たとえば、「頭痛がする」は、

I have a headache.

と言います。

　「今、頭痛がする」と言いたいのに、

I'm having a headache.

とは言いません。

　また、「私はお腹が空いています」は、

I'm hungry

であって、

I'm being hungry.

とは言いません。

つまり、**be 動詞**と **have** は、日本語で「(今) 〜 (して) います」と言うような、現在進行形で表現するはずのことを、なぜか現在形で表現するという例外なのです。

しかも **be 動詞**と **have** は中学校の授業の最初に出てくるんですね。最初に例外から入るので、混乱するのも仕方ない面があります。例外からルールを教え始めても、間違った理解になってしまいます。

そうではなくて、最初の授業で4つの時制を習うようにすればいいのに、と思うんですよね。

「普段、今、過去、未来の4つを使い分けるんだよ、簡単だよ」と4つの時制を一度に教えると、「ああ、そうなんだ」とすんなりわかるんじゃないでしょうか。

Iを使って4つの時制を
使い分けよう

　序章で紹介した例文のおさらいです。

　「買い物はいつも銀座です」を英語ではなんと言います
か？

　正解は、

I go shopping in Ginza.

でしたね。

　でも日本語の「買い物は」に引っ張られて

Shopping is always Ginza.

と言ってしまう人もいると言いました。日本語は「買い物
は…」と「買い物」が主語だからといって、英語では
「**shopping**」を主語にするものではないんですよね。日本
語と英語はみなさんが思っている以上にずっと違うんです。

　でも、「Step 1　時制」「Step 2　肯定・否定・疑問」
と先ほど紹介した2ステップで考えて、シートのテンプ
レートに当てはめるやり方なら、そういった日本語と英語

の細かい違いを意識せずに、「**I go shopping in Ginza.**」とちゃんと「**I**」から始まる文がつくりやすいです。シートが誘導してくれます。

そして、**always** を入れても入れなくても「普段のこと」を表す現在形の「**I go shopping**」にするだけで「普段から・いつも」ということになります。「**always**」は強調にすぎないんです。

こうした英語の基本中の基本である感覚を身につけるために、1章ではパーツ A の部分を使って、時制の練習をしていきます。

まずは A4 シートを開いて、次のクイズに答えていってください。「**I**」から文をつくる感覚を身につけましょう！

Q. 「皿洗いをするのはいつも私です」は？

時制は？ ——————— 普段
肯定？否定？疑問？ —— 肯定
だから英文は？ ——— **I do the dishes.**

「皿洗いをするのは」という日本語でスタートするので、

The person who does the dishes is me.

のように難しい表現をする人もいますが、これは NG ですよ。

「日本語では関係代名詞の構造になっているから、英語も関係代名詞を使わなきゃ」ということはありません。日本語と英語はまったく別の言葉であり、歴史的にも全くつながりのない別の言語なので、違って当たり前ですね。無理やり合わせようとすると不自然です。

これまで見てきたように、「時制にこだわっていない」「簡単な単語でいいのに日本語に惑わされて迷ってしまう」という "ダブルパンチ" に気をつけましょう。

シートを見て「時制は？」「肯定？否定？疑問？」と考えることで、ネイティブの感覚を身につけていきましょう。

Q. 「いつも 5 時に帰っている」は？

時制は？ ——————— 普段

肯定？否定？疑問？ —— 肯定

だから英文は？ ———— **I go home at 5.**

「私はいつも 5 時に帰っている」は普段のことなので「**I go home at 5.**」と現在形です。

「帰っている」という日本語に惑わされて「**I'm going home.**」と進行形だと思う人も多いですが、違います。

Q. 「今、帰り道」は？

時制は？ ——————— 今

肯定？否定？疑問？ —— 肯定

だから英文は？ ———— **I'm going home.**

となります。

　「今、帰り道」は「今帰っている途中」なので、「今（現在進行形）」になります。また、「この場合の"道"は"**way**"？"**road**"？　どっちなんだろう？」と考える人も多いですが、どちらも使わずに進行形にするだけです。

Q. 「今夜は帰らない」は？

時制は？ ——————— 未来

肯定？否定？疑問？ —— 否定

だから英文は？ ——————— I'm not going to go home.

　「今夜は帰らない」は未来の予定のことを言っているので「未来形」、そして否定文なので「**I'm not going to**」になります。

Q. 「昨日は帰ってない」は？

時制は？ ——————— 過去

肯定？否定？疑問？ —— 否定

だから英文は？ ——————— I didn't go home.

　「昨日」なので「過去形」、「してない」なので「否定文」ですね。

　「してない」という日本語では、「今してない」のか、「普段してない」のか、「昨日してない」のか、日本語の言い方が全部同じでわかりにくいですが、英語で言うときに

は時制をハッキリ意識する必要があります。この場合は「昨日」なので過去形ですね。

Q. 「明日は 5 時起き」は？

時制は？――――――― 未来

肯定？否定？疑問？―― 肯定

だから英文は？――――― I'm going to get up at 5.

Q. 「普段は 5 時起き」は？

時制は？――――――― 普段

肯定？否定？疑問？―― 肯定

だから英文は？――――― I get up at 5.

日本語では「普段は 5 時起き」「明日は 5 時起き」と時制の使い分けはなくて、どちらも同じような言い方ですけど、英語は違います。

Q. 「別れるつもり」は？

時制は？――――――― 未来

肯定？否定？疑問？―― 肯定

だから英文は？――――― I'm going to break up.

Q. 「別れそう」は？

時制は？――――――― 未来

肯定？否定？疑問？―― 肯定

だから英文は？――――― I'm going to break up.

今度は、日本語では違う言い方ですけど、英語では同じ言い方になる例なんですね。「別れるつもり」も未来・肯定、「別れそう」も未来・肯定なので、同じ「**I'm going to**」になりますね。

あらゆる英語表現の土台になる「時制」を完全マスター　1章

Q. 「今年はスキーに行ってない」は？

時制は？ ——————— 過去

肯定？否定？疑問？ —— 否定

だから英文は？ ——————— **I didn't go skiing this year.**

　「今年はしてない」や「まだしてない」は、言い換えれば「これまでにしてない」ということですね。「これまでのこと」は「過去のこと」なんです。

　次のクイズも同じ感覚です。

Q. 「別れてないよ」は？

時制は？ ——————— 過去

肯定？否定？疑問？ —— 否定

だから英文は？ ——————— **I didn't break up.**

　これも「これまでにしてない」ということなので「過去・否定」という考えです。もしすでに別れていれば、それは過去のことですよね。それを否定文にするという感じです。

Q. 「残業は全然ないんだよね」は？

時制は？ ──────── 普段

肯定？否定？疑問？ ── 否定

だから英文は？ ──────── I don't do overtime.

Q. 「怒られそう」は？

時制は？ ──────── 未来

肯定？否定？疑問？ ── 肯定

だから英文は？ ──────── I'm going to get in trouble.

Q. 「いつも怒られている」は？

時制は？ ──────── 普段

肯定？否定？疑問？ ── 肯定

だから英文は？ ──────── I get in trouble.

これも「ている」という日本語に惑わされずに、「いつも」なので「普段」と考えましょう。

Q. 「締め切りに間に合わなさそう」は？

時制は？ ──────── 未来

肯定？否定？疑問？ ── 否定

だから英文は？ ──────── I'm not going to meet the deadline.

次は「I」以外の主語、「He」「She」「You」「We」「They」「It」でやってみよう!

「今」「未来」の文の主語を置き換えてみる

　当然、自分ばっかりの話をしていては会話が盛り上がりませんね!　そこで次は「**I**」以外の別の主語で、先ほどと同じ2ステップで、時制を使い分けてみましょう。

　シートのパーツAでは、

- 「普段」と「過去」が同じ薄ピンクの枠
- 「今」と「未来」が同じ薄ピンクの枠

に入っていますね?

　後者の「今」と「未来」の枠の中の例文は、「**I'm**」を使っています。この「**I'm**」を、横に並んでいる「**You're**」「**We're**」「**They're**」「**He's**」「**She's**」「**It's**」に置き換えることができます。

　それぞれの主語が、なぜその言い方やつづりになるのか。

それを小難しく文法的に言えば、be動詞の活用が関係しているんですけど、話す上では、そんなの考える必要はまったくありません！ 受験勉強のように理屈で考えるのではなく、かたまりで覚えましょう。

たとえば「"**He**"は三人称で、単数だからbe動詞は"**is**"になる」といちいち考えなくても、「**He**」は毎回「**is**」なので、これらをかたまりとして覚えてしまえばいいんです。

そして、英語では「**I am ......**」とは言わずに「**I'm ......**」と短縮するように、

He is ......

も必ず

He's ......

と短縮します。これも理屈ではなく、「**He's** ヒズ」というかたまりとして覚えてしまえばいいんです。

このように僕が英語を教えるときは、必ず"かたまり"で覚えてもらうようにしています。そうすることで「主語が**I**だから、be動詞は……」のように理屈を考える時間を省くことができます。

さて、主語を短縮した発音も一緒に覚えてしまいましょう。

　A4シートのパーツAの右側の部分に、「ヒズ、シズ、イッツ、ヨ、ウェ、ゼ」と書いてありますね。これが主語を短縮した発音です。その言い方で、次の例文を声に出して練習してみましょう。

● I'm working.

● You're working.

● We're working.

● They're working.

● He's working.

● She's working.

● It's working.

そして、否定文です。

● I'm not working.

● You're not working.

● We're not working

● They're not working.

● He's not working.

● She's not working.

● It's not working.

それでは、今度は未来形にして練習してみましょう。

● I'm going to go.

● You're going to go.

● We're going to go.

● They're going to go.

● He's going to go.

● She's going to go.

● It's going to go.

● I'm not going to go.

● You're not going to go.

● We're not going to go.

● They're not going to go.

● He's not going to go.

● **She's not going to go.**

● **It's not going to go.**

いかがですか？

これを繰り返し発信するだけでも、頭で考えなくてもスラスラと出てくるようになります。基本となるフレームワークになり、あとは別の動詞を置き換えればいいだけです。

「普段」「過去」の文の主語を置き換えてみる

「普段」と「過去」は、「**I'm**」じゃなくて単独の「**I**」を使うので、単独の「**You**」「**We**」「**They**」「**He**」「**She**」「**It**」に置き換えます。

そして、「普段」のことだけ、「**He**」「**She**」「**It**」だけ、その主語の後ろに続く動詞に「**s**」が付きます。

これも「単数の三人称だから」と理屈で考えるよりも、「**He**」「**She**」「**It**」には「動詞に s」とだけ意識して、そして、繰り返し発信することで身体で覚えてしまいましょう。

最初は難しそうですけど、ちょっと練習すればすぐにできるようになります。

「"**I works.**" はおかしいな」「"**He work.**" はおかしいな」と感覚が芽生えます。理屈をいっぱい考えながら話す

のではなくて、練習を重ねて「感覚」を無意識の脳に定着
させてください。

　さあ、口に出して癖にしてしまいましょう。

- I work.

- You work.

- We work.

- They work.

- He works.

- She works.

- It works.

否定文も声に出しましょう。

- I don't work.

- You don't work.

- We don't work.

- They don't work.

- He doesn't work.

● **She doesn't work.**

● **It doesn't work.**

「**He**」「**She**」「**It**」の否定文は「**doesn't**」になっていますね。「**doesn't**」に「**s**」が既に入っているので、つづく動詞には「**s**」はないんです。たとえば「**He doesn't works.**」だと「**s**」が2つになるので間違いですね。

過去のことはどの主語でも全く同じになります。「**s**」はつかないですね。

そして、過去の否定文と疑問文は、動詞の原形なので簡単ですけど、肯定文だけ「**go → went**」「**get → got**」「**buy → bought**」と動詞の過去形を使います。

動詞の過去形はもう覚えるしかないですね（93ページを参考にしてください）。

これも感覚をつかむために、音読してみましょう！

● **I went.**

● **You went.**

● **We went.**

● **They went.**

● **He went.**

● She went.

● It went.

否定文も声に出してみましょう。

● I didn't go.

● You didn't go.

● We didn't go.

● They didn't go.

● He didn't go.

● She didn't go.

● It didn't go.

あとは、パーツ B から別の動詞を「**go**」の代わりに置き換えればいいですね。

「**went**」の代わりに置き換える動詞も必ず過去形にしましょうね。

天候の動詞の使い方

　続いて、天候を表す動詞についてステップを踏んで見ていきましょう。たとえば「雨が降る」は「**rain**」という動詞、「雪が降る」は「**snow**」という動詞です。A4 シートには天候を表す動詞は載せていませんが、このあとの 95 ページで紹介します。まずは「**rain**」と「**snow**」をパーツ A に当てはめて文をつくるということだけ、ここでやってみてください。天候を表す動詞の使い方もこれまで紹介してきた動詞の理屈と全く同じですけど、主語は「**It**」を使うのが特徴的ですね。

Q. 「今、雨が降っています」は？

時制は？ ——————— 今

肯定？否定？疑問？ —— 肯定

だから英文は？ ———— **It's raining.**

Q. 「雨が降りそうだね」は？

時制は？ ——————— 未来

肯定？否定？疑問？ —— 肯定

だから英文は？ ———— **It's going to rain.**

Q. 「明日は雨だよ」は？

時制は？ ———————— 未来
肯定？否定？疑問？ —— 肯定
だから英文は？ ———— **It's going to rain.**

「雨が降りそうだね」「明日は雨だよ」と日本語では違う表現ですよね。

でも「今に降りそう」も「未来・肯定」、「明日は雨だよ」も「未来・肯定」なので、同じ英語になります。後者は「**tomorrow**」が入るだけですね。

そして「**It's going to raining.**」と「**ing**」をつけて間違える人も多いけど、「**be going to**」には必ず原形がつづくので「**It's going to rain.**」ですね。

Q. 「毎回、雨なんだよね」は？

時制は？ ———————— 普段
肯定？否定？疑問？ —— 肯定
だから英文は？ ———— It rains.

「**It**」も「**He**」「**She**」と同じように、「普段のこと」だと動詞に「**s**」がつきます。そして、「**rain**」も動詞なので「**go**」「**come**」と全く同じ使い方です。「**He comes.**」「**She goes.**」だとちゃんと「**s**」をつけて正しく言える人でも、なぜか「**rain**」になると「**It's rain.**」などと間違えがちです。でもそれは「**He's go.**」「**She's come.**」と同じあり得

ない英語なんです。

Q. 「雪は降らなさそう」は？

時制は？————————— 未来

肯定？否定？疑問？—— 否定

だから英文は？———— **It's not going to snow.**

Q. 「ハワイでは雪は降らない」は？

時制は？————————— 普段

肯定？否定？疑問？—— 否定

だから英文は？———— **It doesn't snow in Hawaii.**

　これも「**It**」の「普段」なので「**s**」が入って「**It doesn't**」ですね。そして、「**Hawaii**」を主語にしないことがポイントです。天気は「**It**」で、最後に「**in Hawaii**」を付け足します。

Q. 「オーストラリアでは雪は降ったりするの？」は？

時制は？————————— 普段

肯定？否定？疑問？—— 疑問

だから英文は？———— **Does it snow in Australia?**

　「**It**」の「普段」なので「**s**」が入って「**Does it**」ですね。そして「**in Australia**」を最後に付け足します。

ランダムな例題で時制を使いこなそう

次はシートを使って時制を使い分ける練習をしてみましょう。

- 1. 主語
- 2. 時制
- 3. 肯定・否定・疑問

を選びましょう。

Q.「彼は今、残業中」は？

主語は？——————— 彼

時制は？——————— 今

肯定？否定？疑問？—— 肯定

だから英文は？——————— He's doing overtime.

Q.「彼は残業になりそうだね」は？

主語は？——————— 彼

時制は？——————— 未来

肯定？否定？疑問？—— 肯定

だから英文は？——————— He's going to do overtime.

Q. 「彼は毎日残業です」は？

主語は？ ——————— 彼

時制は？ ——————— 普段

肯定？否定？疑問？ —— 肯定

だから英文は？ ——————— **He does overtime every day.**

Q. 「私たちは今、外食しています」は？

主語は？ ——————— 私たち

時制は？ ——————— 今

肯定？否定？疑問？ —— 肯定

だから英文は？ ——————— **We're eating out.**

Q. 「私たちは今夜、外食します」は？

主語は？ ——————— 私たち

時制は？ ——————— 未来

肯定？否定？疑問？ —— 肯定

だから英文は？ ——————— **We're going to eat out.**

Q. 「私たちは全然、外食しない」は？

主語は？ ——————— 私たち

時制は？ ——————— 普段

肯定？否定？疑問？ —— 否定

だから英文は？ ——————— **We don't eat out.**

Q. 「彼らが別れそう」は？

主語は？ ——————— 彼ら

時制は？————————— 未来

肯定？否定？疑問？—— 肯定

だから英文は？————— **They're going to break up.**

Q. 「私たちは、よりが戻らなさそう」は？

主語は？————————— 私たち

時制は？————————— 未来

肯定？否定？疑問？—— 否定

だから英文は？————— **We're not going to get back together.**

Q. 「彼はまったく家の掃除をしない」は？

主語は？————————— 彼

時制は？————————— 普段

肯定？否定？疑問？—— 否定

だから英文は？————— **He doesn't clean the house.**

Q. 「あなたはいつも家の掃除をしないね」は？

主語は？————————— あなた

時制は？————————— 普段

肯定？否定？疑問？—— 否定

だから英文は？————— **You don't clean the house.**

Q. 「昨日彼女は来てない」は？

主語は？————————— 彼女

時制は？————————— 過去

肯定？否定？疑問？ —— 否定

だから英文は？ ———— **She didn't come.**

Q. 「彼女は全然料理しない」は？

主語は？ ———————— 彼女

時制は？ ———————— 普段

肯定？否定？疑問？ —— 否定

だから英文は？ ———— **She doesn't cook.**

Q. 「あなたは怒られちゃうわよ」は？

主語は？ ———————— あなた

時制は？ ———————— 未来

肯定？否定？疑問？ —— 肯定

だから英文は？ ———— **You're going to get in trouble.**

Q. 「彼って料理したりするの？」は？

主語は？ ———————— 彼

時制は？ ———————— 普段

肯定？否定？疑問？ —— 疑問

だから英文は？ ———— **Does he cook?**

Q. 「明日、彼女も来るの？」は？

主語は？ ———————— 彼女

時制は？ ———————— 未来

肯定？否定？疑問？ —— 疑問

だから英文は？ ———— **Is she going to come?**

Q. 「今、テレビ観ているの?」は?

主語は? ———————— あなた

時制は? ———————— 今

肯定?否定?疑問? —— 疑問

だから英文は? ———— Are you watching TV?

Q. 「彼らは今飲みに行っているの?」は?

主語は? ———————— 彼ら

時制は? ———————— 今

肯定?否定?疑問? —— 疑問

だから英文は? ———— Are they going drinking?

Q. 「彼らは別れたの?」は?

主語は? ———————— 彼ら

時制は? ———————— 過去

肯定?否定?疑問? —— 疑問

だから英文は? ———— Did they break up?

Q. 「私はクビになるの?」は?

主語は? ———————— 私

時制は? ———————— 未来

肯定?否定?疑問? —— 疑問

だから英文は? ———— Am I going to get fired?

Q. 「彼女はジムに通っているの?」は?

主語は? ———————— 彼女

時制は？─────────── 普段

肯定？否定？疑問？── 疑問

だから英文は？─────── **Does she go to the gym?**

いかがでしたか？

日本語に引っ張られて間違えないように気をつけて！

自分でランダムに
組み合わせて瞬発力を
鍛えよう

少しずつ慣れてきたでしょうか。

さあ、時制のテンプレートの上で、新しい脳の神経のコネクションをつくっていきましょう。繰り返しますが、

・時制は？
・肯定？否定？疑問？
・だから英文は？

この感覚をつかむことがとても大事です。

いろんな時制、いろんな主語、肯定・否定・疑問をいろいろ使ってみる。これを毎日練習することです。

僕も日本語の練習をしていたときは、いつもブツブツ独り言を言っていましたよ（笑）。こうして骨組みにいろんな動詞を当てはめていたら自然とフレーズが口から出てくるようになりました。ぜひ、みなさんにもオススメしたいやり方です。

シートを使って繰り返し口に出して練習してみてください。その際日本語の訳を考える必要はなくて、むしろ考え

ない方がいいですね。でも「未来・肯定」「過去・疑問」などとステップをよ〜く意識しましょう。そのうちに日本語から考えるのではなく、英語で考えられるようになっていきますよ。

　今から、時制のテンプレートに沿って20の例文をつくってください。

　書く必要はなくて、どんどんつくって声に出して言っていきましょう！

　どうでしたか？

　これらをマスターした今では、日本語から考えるのではなく自然とフレーズが口から出てきませんでしたか？

　その感覚が少しずつわかってくるかと思います。

　これまで難しく考えていた人も、自分でランダムに文を組み合わせて練習することによって、英語で考える瞬発力を鍛えていきましょう。

2章

「動詞」を増やして
英語をどんどん
言えるようになる

A4 シートの動詞を差し替えて、どんどん使える動詞を増やしていこう

　パーツ B に載っている「グループ化した動詞」を入れ替えながら、パーツ A の時制のテンプレートを使う感覚をつかみましたね。次はテンプレートに入れる動詞のバリエーションをどんどん増やしましょう。

　使う動詞が変わっても、やることは変わりません。パーツ A で「時制は？」「肯定？否定？疑問？」と考える。その後に、今から新しく紹介するいろいろな動詞を入れていくだけです。パーツ A は、シート上に載っている動詞だけではなく、あらゆる動詞を入れて使うことができるオールマイティーなテンプレートなんです！

　動詞はこの章にリストアップして載せますが、練習しやすいように PDF もぜひダウンロードしてみてください（無料）。

　「単独の動詞」と「かたまりの動詞」を全部ものにしちゃいましょう！

単独の動詞リスト

目的語は要らない動詞

現在形	3人称単数	過去形	意味
go	goes	went	行く
come	comes	came	来る
leave	leaves	left	出発する・出る
work	works	worked	働く
study	studies	studied	勉強する
know	knows	knew	知る・知っている
pay	pays	paid	払う
change	changes	changed	変わる
understand	understands	understood	理解する
explain	explains	explained	説明する
win	wins	won	勝つ
lose	loses	lost	負ける
eat	eats	ate	食べる
drink	drinks	drank	飲む
smoke	smokes	smoked	タバコを吸う
try	tries	tried	努力する
learn	learns	learned	学ぶ・習う
ask	asks	asked	聞く・問う
walk	walks	walked	歩く
drive	drives	drove	運転する・車で行く
cook	cooks	cooked	料理する
talk	talks	talked	話す

現在形	3人称単数	過去形	意味
speak	speaks	spoke	話す
read	reads	read	読む
stay	stays	stayed	泊まる・居残る
start	starts	started	始まる
finish	finishes	finished	終わる
stop	stops	stopped	止まる・やめる
help	helps	helped	手伝う
move	moves	moved	引っ越す・動く

目的語が必ず要る動詞

現在形	3人称単数	過去形	意味
get it	gets it	got it	～を手に入れる
do it	does it	did it	～をする
have it	has it	had it	～を持っている・～がある
take it	takes it	took it	～を持っていく
bring it	brings it	brought it	～を持ってくる
use it	uses it	used it	～を使う
teach it	teaches it	taught it	～を教える
find it	finds it	found it	～を見つける
like it	likes it	liked it	～を好む・～が好き
watch it	watches it	watched it	～を見る・～を観る
see it	sees it	saw it	～を見る・～が見える
look at it	looks at it	looked at it	～を見る
listen to it	listens to it	listened to it	～を聴く

現在形	3人称単数	過去形	意味
look for it	looks for it	looked for it	～を探す
buy it	buys it	bought it	～を買う
sell it	sells it	sold it	～を売る
give it	gives it	gave it	～をあげる
send it	sends it	sent it	～を送る
make it	makes it	made it	～を作る
write it	writes it	wrote it	～を書く
clean it	cleans it	cleaned it	～を掃除する
say it	says it	said it	～を言う
wear it	wears it	wore it	～を着る
break it	breaks it	broke it	～を壊す
tell 人	tells 人	told 人	～に言う・ ～に伝える
show 人	shows 人	showed 人	～に見せる
take 人	takes 人	took 人	～を連れていく
invite 人	invites 人	invited 人	～を誘う・ ～を招待する
email 人	emails 人	emailed 人	～にメールする (PC)
text 人	texts 人	texted 人	～にメールする (携帯)
call 人	calls 人	called 人	電話する
meet 人	meets 人	met 人	会う・出会う・ 待ち合わせする

主語が It のときにだけ使う動詞

現在形	3人称単数	過去形	意味
rain	rains	rained	雨が降る
snow	snows	snowed	雪が降る

現在形	３人称単数	過去形	意味
sell	sells	sold	売れる
start	starts	started	始まる
finish	finishes	finished	終わる
break	breaks	broke	壊れる
take	takes	took	時間がかかる
happen	happens	happened	起きる・起こる
stop	stops	stopped	止まる

かたまりの動詞リスト

一般

go home	帰る
go to work	会社に行く
go out	遊びに行く・出かける
go to the gym	ジムに行く
get a haircut	髪を切る
go to the bank	銀行に行く
get money out	お金をおろす
get up	起きる
wake up	目が覚める
stay up	夜更かしする
sleep in	寝坊する
go to bed	寝る
fall asleep	眠ってしまう・うたた寝する
stay home	家にこもる
order in	出前を取る
have breakfast	朝食を食べる
have lunch	昼食を食べる
have dinner	夕飯を食べる
watch TV	テレビを観る
take a shower	シャワーを浴びる
take a bath	お風呂に入る
brush *my* teeth	歯を磨く

get ready	準備する
get dressed	服を着る
get changed	着替える
kill time	時間を潰す
spend time	時間を過ごす
spend money	お金を使う
say thank you	お礼を言う
say sorry	謝る
say yes	応じる・許可する
say no	断る

家事

do the housework	家事をやる
take out the trash	ゴミを出す
make dinner	夕飯をつくる
clean the house	家の掃除をする
vacuum (the living room)	(リビングで)掃除機をかける
do the shopping	お使いに行く
do the dishes	皿洗いをする
do the laundry	洗濯する
hang out the laundry	洗濯物を干す
get the laundry in	洗濯物を取り込む

fold the laundry	洗濯物をたたむ	go to the dentist	歯医者に行く
do the ironing	アイロンをかける		
iron (my shirt)	（シャツに）アイロンをかける		

遊び

air the futon	布団を干す
air out the house	空気の入れ替えをする
do some gardening	ガーデニングをする
water the garden	庭に水をやる
weed the garden	庭の雑草取りをする
walk the dog	犬の散歩に行く
feed the dog	犬にエサをやる

健康

lose weight	痩せる
gain weight	太る
work out	運動・筋トレする
get in shape	体を鍛える
stay in shape	健康な体を維持する
get rid of stress	ストレスを解消する
see a doctor	医者に診てもらう・病院に行く
have an operation	手術を受ける
visit 人 in the hospital	お見舞いに行く

go out	遊びに行く
take 人 out	人を連れ出す
have a party	パーティーする
have a barbecue	バーベキューをする
have a picnic	ピクニックする
go to the movies	映画館に行く
see a movie	映画を観る
see a play	舞台を観る
see a band	ライブに行く
eat out	外食する
eat in	家で食べる
come over	家に遊びに来る（行く）
have 人 over	人を家に招く
buy 人 dinner	夕飯をおごる
split the bill	割り勘をする
pay separately	別会計にする
get a taxi	タクシーに乗る
share a taxi	タクシーの相乗りをする
go drinking	飲みに行く
go shopping	買い物に行く
go clubbing	クラブに行く

go to the beach	海に行く
go to the park	公園に行く
go to the pool	プールに行く
go for a drive	ドライブをする
go for a walk	散歩する
go bowling	ボウリングする
go traveling	旅行する
go sightseeing	観光する
play golf	ゴルフをする
play tennis	テニスをする

アウトドア

go skiing	スキーに行く
go snowboarding	スノーボードに行く
go ice-skating	アイススケートに行く
go surfing	サーフィンに行く
go sailing	セーリングする
go scuba-diving	スクーバダイビングする
go snorkeling	スノーケリングする
go jet-skiing	ジェットスキーをする
go camping	キャンプする
go hiking	ハイキングする
go fishing	釣りに行く
go golfing	ゴルフに行く

go horse-riding	乗馬する
go strawberry-picking	イチゴ狩りに行く
go skydiving	スカイダイビングをする
go bungee-jumping	バンジージャンプをする

被害に遭う

get mugged	カツアゲに遭う
get pickpocketed	スリに遭う
get ripped off	ぼったくりに遭う
get conned	詐欺に遭う
get groped	痴漢に遭う
(my bag) get stolen	(物が) 盗まれる
(my bag) get snatched	(物が) ひったくられる

恋愛

be in love (with 人)	恋している
fall in love (with 人)	恋に落ちる
fall for 人	～に惚れる
fall out of love	恋が冷める
have feelings for 人	～に恋愛感情がある

hit on 人	口説く	propose to 人	プロポーズする
pick 人 up	ナンパする	marry 人	〜と結婚する
ask 人 out	デートに誘う・告白する	get married	結婚する
lead 人 on	思わせぶりな態度をとる・気を持たせる	be married	結婚している
		marry into money	玉の輿に乗る
play hard to get	もったいぶる	settle down	落ち着く(結婚して家庭を持つ)
play games	(恋愛の) 駆け引きをする	have a baby	子供を産む
get a boyfriend	彼氏ができる	hurt 人	〜を傷つける
have a boyfriend	彼氏がいる	separate	別居する
go out (with 人)	付き合う	be separated	別居中
be in a relationship	恋人がいる	divorce 人	〜と離婚する
get along	仲がいい、うまくいく	get divorced	離婚する
go through a rough patch	倦怠期	get half	財産の半分をもらう
		get asked out	デートに誘われる・告白される
have a fight	喧嘩する	get hit on	口説かれる
make up	仲直りする	get picked up	ナンパされる
cheat (on 恋人) (with 浮気相手)	浮気する	get led on	弄ばれる
two-time 人	二股をかける	get dumped	(恋人に) 振られる
do the long distance thing	遠距離恋愛する	get cheated on	浮気される
dump 人	(恋人を) 振る	get proposed to	プロポーズされる
break up	別れる		
get back together	よりを戻す		

仕事

go to work	会社に行く
finish work	仕事が終わる

do overtime	残業する	hit (*my*) target	目標を達成する
get paid	給料をもらう	make progress	進展がある
get paid overtime	残業代が出る	start over	一からやり直す
call in sick	病欠の電話をする	move it up	くり上げる
get promoted	昇格する	move it back	後ろ倒しにする
get transferred	転勤・異動になる	make it happen	実現させる
get fired	クビになる	get back to 人	折り返し連絡する
get laid off	リストラに遭う	make it up to 人	埋め合わせをする
get a raise	昇給する	run it by 人	人に通す
get a job	職を手に入れる・就職が決まる	sign off on it	署名する・承認する
change jobs	転職する	entertain clients	接待する
quit (*my* job)	仕事を辞める	wine and dine 人	接待する
take time off	休暇を取る	do it by the book	マニュアル通りにやる
go out on *my* own	独立する	think outside the box	固定概念にとらわれない考え方をする
be in charge of ~	~を担当する	raise the bar	水準を上げる
fit in	溶け込む	turn a profit	利益が出る
talk shop	仕事の話をする	kill it	ぼろ儲けする・絶好調
have a meeting	会議する	make a killing	ぼろ儲けする
reach an agreement	合意に達する	be in the black	黒字である
get a contract	契約を取る	be in the red	赤字である
close the deal	取引を成立させる	cut costs	経費削減する
meet the deadline	締め切りに間に合う	cut *my* losses	損切りをする
		break into ~	~に進出する

rush into it	早まって〜する
go bankrupt	倒産する
dodge a bullet	危機を逃れる
get in trouble	怒られる
get told off	叱られる
screw up	ミスする・失敗する
slack off	サボる
cut corners	手を抜く
talk back	口答えをする
cook the books	帳簿をごまかす
sue 人	訴える
get sued	訴えられる
＊ pay off	実る
＊ backfire	裏目にでる

＊「pay off」と「backfire」の主語は、「人」ではなく「it」になります。

単独の動詞リストの使い方

目的語が要らない動詞、必ず要る動詞、あってもなくてもいい動詞

「単独の動詞リスト」には「目的語は要らない動詞」と「目的語が必ず要る動詞」があります。

動詞には、目的語が要らない動詞、必要な動詞、目的語があってもなくてもいい動詞があります。

たとえば「**go**」は目的語が続かない、「**eat**」は目的語があったりなかったり、「**buy**」は必ず目的語が必要です。

目的語が続かない動詞と、目的語があってもなくてもいい動詞を「目的語は要らない動詞」に入れています。

目的語が必ず必要な動詞だけ「目的語が必ず要る動詞」のリストに入れています。

「目的語が必ず要る動詞」の場合は「**get it**」「**have it**」といったように、動詞のかたまりのように考えてどんどん

テンプレートに入れて練習します。

ちょっと慣れてきたら「**it**」の代わりに「**my bag**」や「**this camera**」などを置き換えてみるようにしましょう。

また、「**tell** 人」「**show** 人」と「人」がつづく動詞の場合は「人」のところを「**me** / **you** / **us** / **them** / **him** / **her**」に自由に置き換えましょう。

フレーズをつくる練習をする際には、できるだけいろんなバリエーションをつくるといいですね。たとえば、

- I told him.
- He told me.
- She's not going to tell him.
- We're not going to tell them.

といった感じです。

主語が It のときにだけ使う動詞

「**It**」が主語の例文に、これまでは「**rain**」「**snow**」を使いましたけど、他にもあります。これらも「**rain**」と「**snow**」と全く同じ使い方です。

たとえば、

● **It's raining.**（雨が降っている）

と同じように、

● **It's selling.**（それが売れている）

● **It's not going to snow.**（雪は降らなさそう）

と同じように、

● **It's not going to break.**（壊れないでしょう）

など。

かたまりの動詞リストの
使い方

「人」と書いてある動詞は、そこに人の目的語をつけよう

　いろんなカテゴリーに分かれていますけど、全部「かたまり」として覚えちゃいましょう。

　いくつか注意するポイントがあります。

　まず、フレーズのなかに、「人」と書いてあれば必ず人をつづけてくださいね。

　逆に「人」と書いてないところは入れないでくださいね。

　たとえば、

marry 人
〜と結婚する

get married
結婚する

　「**marry**」という動詞には必ず「人」がつづきます。「〜と結婚する」という意味です。

「私は来週、結婚します」と言いたいとき、

✕　I'm going to marry next week.

と言ってしまうと「私は来週という人と結婚します」ということになってしまうので要注意！

　そして、よく知られている英語の「**Will you marry me?**」のように、「**with**」も「**to**」も要らないですね。

　逆に相手のことを言わないときは「**get married**」になります。今度は「**get married him**」というように目的語をつけるのは必ず間違いですね。

　（**with** 人）のようにカッコに入っている場合は、付けてもいいし付けなくてもいいです。
　たとえば「浮気する」は、

「**cheat**（**on** 恋人）（**with** 浮気相手)」

になっているので、（**on** 恋人）も（**with** 浮気相手）も、付けても付けなくても構いません。

- **He cheated.**（彼は浮気した）
- **He cheated on me.**（彼は私を裏切って浮気した）
- **He cheated with her.**（彼は彼女と浮気した）
- **He cheated on me with her.**（彼は私を裏切って彼

<u>女</u>と浮気した）

これらのどの言い方も正解です。

受動態は「かたまり」としてそのまま頭に入れてしまおう

受動態を文法だけで考えるとちょっと難しくて面倒くさいところです。

動詞を過去分詞にする、**get** や **be** をつける、目的語をなくす……等々、これをいちいちやっているとわずらわしいので "かたまり" でそのまま頭に入れてしまいましょう。

たとえば「クビになる」「昇格する」「異動・転勤になる」も実は受動態なんですけど、

● get fired
● get promoted
● get transferred

とかたまりで覚えると非常に楽になります。

「恋愛」用語のカテゴリーの最後のブロック（100ページの **get asked out** 以降）を見てください。

ここはすべて受動態になっています。ここでは **on** や **to** で終わっているものもありますが、「人」と書いていないので「人」は続けません。受動態では文が前置詞で終わる

ことは普通なので慣れていきましょう。

ハイフンで単語がつながった動詞は まとめて１単語

ハイフンでつないでないかたまりの動詞は、最初の単語を過去形にしたり「**s**」を付けたりしますね。「**go home**」なら、「**went home**」「**goes home**」になります。

が、ハイフンでつないでいる場合は、それが１つの単語になります。

たとえば「二股をかける」は「**two-time 人**」ですが、過去形は「**twoed-time**」ではなくて「**two-timed**」と **time** のところに「**ed**」を付けます。

動詞に「**s**」を付ける場合も「**twos-time**」ではなくて「**two-times**」になりますね。

内容がいっぱい増えましたね！　いろんな内容を、時制のテンプレートに当てはめて、英語の思考回路に沿って、英語をどんどん発信しちゃいましょう！

3 章

「形容詞」を使った文章も
パッと言えるようになろう

「形容詞」を使った文を
つくってみよう

　これまでは、動詞の時制テンプレートを使ってきましたね。

　次は形容詞の時制テンプレートを見てみましょう。

　形容詞は別のテンプレートになります。A4 シートの裏側に載っているので、裏側を見てみましょう。

　形容詞には「be 動詞」が必要です。「be 動詞」は他の動詞と使い方が違うんですよね。

　でも、とりあえず、この形容詞のテンプレートに沿ってつくればいいんです。

　その上で次の詳しいポイントもいくつか見てみましょう。

「普段のこと」と「今のこと」は
どっちも現在形を使う

　「be 動詞」は基本的には進行形にならないです。「普段」も「今」も同じ表現になります。例外もありまして、それを後で説明します。

たとえば、

I'm Japanese.
私は日本人です。

と

I'm hungry.
お腹が空いている。

を見てみましょう。

「今日だけ日本人だ」ということはないですよね。「日本人です」は「普段のこと」です。
一方、「お腹が空いている」は「今のこと」ですよね。

「I'm Japanese.」は「普段」、**「I'm hungry.」**は「今」と時制は違うはずなのに、どちらも**「I'm 〜」**となります。

同じように、「普段、忙しい」も「今、忙しい」も、どちらも、

I'm busy.

となります。
どちらも同じ言い方になるので簡単ですね！

あとは、「**I'm**」の代わりに「**You're**」「**We're**」「**They're**」「**He's**」「**She's**」「**It's**」を置き換えるだけですね。

たとえば、次のような感じです。

- **He's busy.**（彼は忙しい）
- **Is she angry?**（彼女は怒っているの？）
- **It's not crowded.**（混んでないよ）

ちなみに「**It**」を使う文の場合は、「**It** が主語の形容詞」カテゴリーから選びましょう。

「未来」の表現はどうなる？

「未来」のことは、動詞のテンプレートと同じ「**I'm going to**」に「**be** ＋形容詞」をつづけます。

「忙しくなりそう」は、

I'm going to be busy.

ですね。「**be**」を入れるのを忘れずに。

そして、これも「**I'm**」の代わりに「**You're**」「**We're**」「**They're**」「**He's**」「**She's**」「**It's**」を置き換えるだけですね。

たとえば、次のような感じです。

- **He's going to be surprised.**（彼は驚きそう）
- **She's not going to be angry.**（彼女は怒らないでしょう）
- **Is it going to be sunny tomorrow?**（明日は晴れるの？）

「過去」の表現はどうなる？

「普段」「今」「未来」はけっこう簡単でしたね。そしてすべて「**I'm**」なので「**You're**」「**He's**」などの置き換えも同じです。

過去形だけ、ちょっと違います。

これも、とりあえずシートに沿ってどんどん例文を作っていけばいいんですけど、ここで確認しましょう。

be 動詞の過去形は、主語によって **was** か **were** と変わります。

- **I**、**He**、**She**、**it** なら **was**
- **You**、**We**、**They** なら **were**

ですね。

be 動詞が「I'm being」と進行形になる「例外の形容詞」

　形容詞によっては、be 動詞が「**I'm being**」と進行形になることもあるんです。

　これは形容詞次第なんです。

　たとえば、「お腹が空いている」は「今のこと」なのに、

I'm hungry.

と言いますね。

✕　I'm being hungry.

とは絶対に言いませんね。

　英語では、「普段忙しい」も、

I'm busy.

　「今、忙しい」も、

I'm busy.

と使い分けがありません。

しかし例外もあります。

たとえば「**kind**」と「**lazy**」は、例外の形容詞で、「今のこと」だと「**I'm being ...**」と be 動詞が進行形になります。

He's kind.
彼は優しい人だ。（普段）

He's being kind.
彼は今、優しくしてくれている。（今）

I'm lazy.
怠け者だ。（普段）

I'm being lazy.
今日は怠けている・今日はサボっている。（今）

となります。

さて、このように「be 動詞が進行形になる例外」になるのは、どのような形容詞なのでしょうか？

実は僕もそのような形容詞があると前々からわかっていたのですが、その法則については知らなかったんです。

けど、「ニック式英会話ジム」というアプリのデータを

つくっているときに新しい発見がありました。この進行形になる形容詞はどれも、「性格」のカテゴリーのものばかりでした！

さて A4 シートの形容詞のカテゴリーを見てください。「性格」のカテゴリーだけ枠に囲まれていますね。そして、"「今のこと」は「I'm being 〜」"と書かれていますね。

他のカテゴリーは「普段」も「今」も「I'm 〜」ですけど、「性格」のカテゴリーの形容詞は「普段」なら「I'm 〜」、「今」なら「I'm being 〜」と使い分けます。
たとえば、

I'm careful.
いつも気をつけている。（用心深い人だ。）

I'm being careful.
今、気をつけている。

She's selfish.
わがままな人だ。

She's being selfish.
今、わがままを言っている。（今日はわがまま。）

He's stupid. （頭が悪い）

He's being stupid.
今、バカなことを言っている。（今、バカなことをやっている。）

You're naive.
世間知らずな人だね。

You're being naive.
今やろうとしていることは考えが甘いね。

など。

　このようにいろいろな形容詞を当てはめて練習するだけで OK！　表現がどんどん増えていきますよ。なお、これら以外のカテゴリーの形容詞は進行形にならないので気をつけましょう。

形容詞のリスト

状態

hungry	お腹が空いている
full	お腹がいっぱい
thirsty	喉が渇いている
sick	病気である・風邪をひいている
drunk	酔っ払っている
tired	疲れている
busy	忙しい
late	遅い・遅刻する
ready	準備ができている
lost	道に迷っている
up	起き上がっている状態
awake	目が覚めている状態
asleep	眠っている
sleepy	眠い
young	若い
old	年をとっている
tall	背が高い
short	背が低い
beautiful	美しい・綺麗
married	結婚している
single	独身・恋人がいない
pregnant	妊娠している
American	アメリカ人である

Japanese	日本人である

感情

angry	怒っている
happy	嬉しい・幸せ
sad	悲しい
jealous	羨ましい・嫉妬している
nervous	緊張している
worried	心配している
scared	怖がっている
excited	ワクワクしている
bored	退屈している
stressed	ストレスが溜まっている
shocked	ショックを受けている
surprised	驚いている
embarrassed	恥ずかしい
disappointed	がっかりしている

性格

smart	賢い
stupid	頭が悪い
honest	正直
confident	自信がある

cheerful	明るい		boring	つまらない
laidback	大らか		shocking	ショックな
uptight	せかせかしている		exciting	ワクワクするような
selfish	わがまま		embarrassing	恥ずかしいような
funny	面白い（笑える）		stressful	ストレスが溜まるような
interesting	面白い（興味深い）		humid	湿気がある
kind	優しい		dry	カラッとしている
mean	意地悪		sunny	晴れている
rude	失礼		cloudy	曇っている
cheap	ケチ		windy	風が強い
lazy	怠けている			
diligent	マメな			
thoughtful	気が利く・思いやりがある			
careful	用心深い			
positive	ポジティブ			
negative	ネガティブ			
naïve	世間知らず・考えが甘い・青臭い			

人じゃない「it」など

crowded	混んでいる
quiet	静か
noisy	うるさい
lively	にぎやか
dirty	汚れている
clean	汚れていない
important	大事
scary	怖い

日本語に合わせようとせずに、形容詞に be さえつければ OK！

ちょっとここで形容詞についての大事な話をしましょう。
「形容詞なら **be** とだけ考える」ということです。

たとえば、
「失礼なことを言わないで！」も
「失礼なことをしないで！」も
「失礼な態度をとらないで！」も

Don't be rude.

と言います。

これらをそれぞれ日本語に忠実に英訳すると、

- × **Don't say rude things.**（失礼なことを言わないで）
- × **Don't do rude things.**（失礼なことをしないで）
- × **Don't have a rude attitude.**（失礼な態度をとらないで）

となりますが、ネイティブはこう言わずに「**Don't be rude.**」と言います。

このように「形容詞なら **be** とだけ考える」ことが大事です。

もう 1 つ例をあげましょう。

「彼女はネガティブになっている」は何と言うでしょう？

「彼女はネガティブなことを言っている」は何と言うでしょう？

「彼女はネガティブに考えている」は何と言うでしょう？

これは、

She's being negative.

と言います。（この表現がパッと浮かんだ人は、英語で考える感覚が身についてきたといえますね！）

ネイティブは、「ネガティブになっている」「ネガティブなことを言っている」「ネガティブに考えている」はどれも、「**She's being negative.**」。この一文で表現します。

日本語から考える癖が抜けていない人は、

●× **She's saying negative things.**（ネガティブなことを言っている）

● ×　**She's thinking in a negative way.**（ネガティブ
　　　に考えている）

と思ったのではないでしょうか。

　これは文法的には間違いではないですが、言い回しが難
しいうえに不自然なのでネイティブとの会話ではまったく
といっていいほど使いません。

　ネイティブなら、「形容詞なら **be**」とだけ考えて、
「**She's being negative.**」と言います。

　この方がずっと簡単だし、ずっと自然なので一石二鳥の
朗報ですね！

　これで「単文」がつくれるようになりましたね。これが
「英語脳」の基盤となります。これができれば、あとは簡
単です！　4章からは単文の前にかたまりを付け足したり、
単文のあとに＋アルファを付け足したり、文と文をつない
だりする方法を紹介します！

「単文の左側に
付け足す言い回し」で
こなれた会話ができる

これまでつくってきた文に、ちょい足ししてみよう

単文の左側に、また「かたまり」を付け足すだけ！

　思ったことや感じたことを文の手前に 2、3 語付け加えるだけで、立派な英文ができあがります。これまでパーツ A と B を使ってシンプルで短い単文をつくるトレーニングをしてきましたが、この単文の左に「パーツ C」を加えるだけです。

　たとえば、「雨が降っていて残念」という文は、

It's too bad it's raining.

となります。

It's raining.
今、雨が降っている。

という文の頭に、

It's too bad（残念）

というかたまりを付け足しているだけです。

💡point

小難しい文法の話で言えば、この付け足しは「**It's too bad** + **that** 節」です。

「**that** 節」は「**that** +文」という形ですので、

It's too bad + **that** +文

という構文ですね。

「**that** 節」の「**that**」はいつでも省略できます。「**that**」を言うこともあるし、それは文法的には大正解ですけど、大体省略します。

なので、「**It's too bad** +文」という簡単な表現でいいのです。

同じ「**It's raining.**」の頭に別の表現も付けてみましょう。文「**It's raining.**」に対して、どういう気持ちなのかを頭に付け足すイメージですね。

たとえば「雨が降っていてよかった」は？

I'm glad ＋ it's raining.

I'm glad it's raining.

「雨だなんて信じられない」は？

I can't believe + it's raining.

⬇

I can't believe it's raining.

「雨が降っているというわけじゃない」は？

It's not like + it's raining.

⬇

It's not like it's raining.

時制も使いこなしてみる

つづいて別の例も見てみましょう。
時制の使い分けがとっても大事です！

たとえば「雨が降って残念だったね」は、

It's too bad it rained.

と言います。

　まずパーツＡとＢを見ます。過去に雨が降ったわけな
ので、

It rained.
雨が降った。

という過去形の文をまずつくります。

それに対して「残念だ」という気持ちなので、文の頭に「**It's too bad**」を付け足して、

It's too bad ＋ it rained.

It's too bad it rained.

という文になりますね。

それでは、「雨が降りそうで心配」はどうなると思いますか？　正解は、

I'm worried it's going to rain.

といいます。

これから雨が降ることを心配しているので、時制は「未来」の、

It's going to rain.
雨が降りそう。

ですね。

その文の頭に「**I'm worried**」を付け足して、

I'm worried **+** it's going to rain.
⬇
I'm worried it's going to rain.

となります。

コツは掴めましたか？

文の頭につけるかたまりは、つづく 文の時制に合わせる必要はない

よく誤解されるのは、「**It rained.**」が過去形だから、文の頭に付け足すかたまりも「**It was too bad**」「**I was glad**」というように、過去形に合わせないといけない、ということです。

しかし、その必要は全くありません。

「雨が降った」のは過去のことですけど、それに対して「残念な気持ち」は今の気持ちなので、そのまま「**It's too bad.**」と言っていいんですね。

同じように、これから「雨が降りそう」は未来のことですけど、それに対して「今、心配している」ので「**I'm worried**」のままで大丈夫です。

余計なことを考えずに、シートのパーツＣの表現をそのまま使えばいいのです。

　同じように、「彼らが別れた気がする」は、

I have a feeling ＋ they broke up.

ですけど、「別れた」のは過去のことなので過去形の「**they broke up.**」です。しかし、「気がする」は過去のことじゃないので過去形にしません。

　では、「昇格できなくて怒っている」はどう表現できますか？

I'm angry ＋ I didn't get promoted.

となりますね。

　「昇格できなかった」のは過去のことなので「**I didn't get promoted.**」と過去形です。しかし「怒っている」のは「今」なので、過去形にせずに「**I'm angry**」ですね。

日本語につられて時制を 間違えないように注意しよう！

　たとえば、日本語で「～だなんて信じられない」と言うときは、過去のことでも過去形にしないことも多いんです

よ。

　たとえば、「昨日来ないなんて信じられない」という文。

　「昨日」のことなので、当然過去のことですけど、日本語では「来ないなんて」と現在形で言うことが多いですよね。日本語ではそれでいいんですけど、英語では、過去のことは必ず過去形にします。

You didn't come.
君は来なかった。

と過去形の文に、

I can't believe
信じられない。

というかたまりを付け足して

I can't believe + you didn't come.

I can't believe you didn't come.

となります。

　日本人にありがちな間違いは、日本語は現在形を使っているから、それにつられて、

× I can't believe you don't come.

と英語でも現在形にしてしまうことです。

　英語の現在形は、「普段からしている」「いつものこと」を表すので **I can't believe you don't come.** は「君がいつも来ないなんて信じられない」という意味になります。

　これでは大きな意味の違いがありますね。もしかすると相手から、「いつも来ているじゃん！　来なかったのは昨日だけじゃないか！　なんでそこまで言われなきゃいけないの？」のような反応が返ってきて、話が噛み合わなかったり、トラブルにもなりかねないですね。

　別の例を見てみましょう。

　たとえば、すでに別れたカップルに対して、日本語では「その二人が別れたなんて信じられない」と過去形にすることもあれば「その二人が別れるなんて信じられない」と過去のことなのに過去形にしないことも多いですよね。英語の場合は必ず過去形になります。

They broke up.
彼らが別れた。

という過去形の文に、

I can't believe

を付け足して、

I can't believe ＋ they broke up.

⬇

I can't believe they broke up.

となります。

　ありがちな間違いは、日本語は現在形を使っているから、それにつられて、

× I can't believe they break up.
彼らがいつも別れるなんて信じられない。

と英語でも現在形にしてしまうことです。

未来のことにも注意しよう！

　日本語では、未来のことを「現在形」で言うのが一般的です。

　たとえば「明日、彼が来る」「来年、結婚する」などの日本語を見てみると、「未来形」に該当するものはないですよね。「明日」「来年」という単語で未来のことだとわかるけど、「彼が来る」「結婚する」は文法的に言うと「現在形」ですよね。

日本語としてはもちろんそれが大正解ですけど、その日本語につられると、英語でも「未来のこと」を「現在形」にしてしまいがちです。

たとえば、日本語では、

● 別れそうなカップルに対して、「彼らが別れる予感がする」
● 別れたカップルに対して、「彼らが別れるなんて信じられない」

と言いますよね。

前者は未来のことで「彼らが別れる」、後者は過去のことで「彼らが別れる」と全く同じ文を使っています。

このように日本語では過去のことでも未来のことでも同じ表現を使うことがあるので、日本語に惑わされないようにしましょう。

● NGな考え方：「" 別れる " だから現在形だ！」
● 正しい考え方：「すでに起きたことだから過去形だ」「これからのことだから未来形だ」

1番足を引っ張っているのは、日本語からスタートすることです。日本語に合わせようとするからいっぱい間違え

たりするんです。日本語から訳さずに、最初から英語で文をつくるようになると、一気に楽になります。

　日本で22年間英語を教えてきた経験から言うと、1章〜3章で覚えた「単文」の作り方がちゃんとできていれば、あとは、その文の頭に「I can't believe」などを付け足すだけ、という感覚が1番日本語に惑わされずに正しい英語が話せるようになる近道です。

　それでは、試してみましょう。まずは「文」をつくって、そのあと「I'm glad」などを付け足すやり方でやってみましょう。

　たとえば「明日、彼女が来るからよかった」と言いたい場合には、まず「明日、彼女が来る」という文をつくります。

Q. 「明日、彼女が来る」は？

時制は？―――――――― 未来

肯定？否定？疑問？―― 肯定

なので英文は？――――― She's going to come tomorrow.

　そしてその文の頭に「I'm glad」を付け足して、

I'm glad she's going to come tomorrow.

とします。

　さあ、みなさんも考えてみましょう。

　たとえば、仕事ができない同僚がクビになった場合、

「彼がクビになるのも無理ないね」と言いたいなら、あなたはどう言いますか?

　「彼はすでにクビになった」わけだから、次のように文をつくります。

Q. 「彼はすでにクビになった」は?

時制は? ———————— 過去

肯定?否定?疑問? —— 肯定

なので英文は? ———— **He got fired.**

　その文の頭に「**It's no wonder**」を付け足して、

It's no wonder he got fired.

となります。

　過去のことでも、日本語では「クビになるなんて」と現在形で言うことも多いけど、それに惑わされずに、すでにクビになったので、過去形ですね。

　「彼らが勝てなくてびっくり」の場合はどうでしょうか。

　日本語では「勝てなくて」と言い方に時制の情報はない

けど、内容から判断して「過去のこと」ですね。

だからまずは「彼らが勝てなかった」という文を作ります。

Q. 「彼らが勝てなかった」は？

時制は？——————— 過去

否定？肯定？疑問？—— 否定

なので英文は？———— They didn't win.

その文の頭に「**I'm surprised**」を付け足して

I'm surprised they didn't win.

となります。

この調子で練習していきましょう。

「明日は雨で残念」の場合はどうでしょうか。

日本語では「雨で」と時制の情報はないけど、「明日」と言っているので「未来のこと」ですね。

Q. 「明日雨が降る」は？

時制は？——————— 未来

肯定？否定？疑問？—— 肯定

なので英文は？———— It's going to rain tomorrow.

その文の頭に「**It's too bad**」を付け足して

It's too bad it's going to rain tomorrow.

　「全く料理しないというわけじゃない」と言いたい場合はどうでしょう。

　これは最初につくる文から、あなたが考えてみてください。

　どうですか？できましたか？

　正解は、次のとおりです。

Q. 「全く料理しない」は？

時制は？――――――― 普段

肯定？否定？疑問？―― 否定

なので英文は？――――― I don't cook.

　その文の頭に「**It's not like**」を付け足して

It's not like I don't cook.

となります。

「単文の左側に付け足す言い回し」でこなれた会話ができる

未来を現在形で表現する 言い回し「I hope, I bet, What if」

「I hope, I bet, What if」を動詞の単文に付け足す

シートのパーツＣの「**I'm glad**」から「**I'm worried**」までの表現はすべて、文がそのままつづく言い回しです。

●普段のことなら「現在形」
●今のことなら「進行形」
●過去のことなら「過去形」
●未来のことなら「未来形」

ですね。

しかし、実は、時制にうるさい英語でも、例外の表現もあります。

シートの「未来を現在形で表現する言い回し」の

● **I hope**（〜だといいな）
● **I bet**（きっと〜だろう）
● **What if**（〜だったらどうする？）

を見てみましょう。

　これらは、普段・今・過去のことはそのままですが、未来のことだけ例外で、パーツＡとＢからつくる単文を現在形で言います。

　「**I'm glad**」と「**I hope**」を比べてみましょう。

　「**I'm glad**」は例外じゃない表現なので、いつもどおり、

●普段のことは「現在形」
●今のことは「進行形」
●過去のことは「過去形」
●未来のことは「未来形」

です。

　しかし、**I hope** は例外の表現なので、未来のことを現在形で言います。

●普段のことは「現在形」
●今のことは「進行形」
●過去のことは「過去形」

とここまでは「**I'm glad**」と同じように、通常の時制の使い分けですけど、

●未来のことは「現在形」

となります。

　例文で見てみましょう。まず「**I'm glad**」は、普通の時制の使い分けです。

- **I'm glad she lives in Tokyo.**（彼女が東京に住んでいてよかった）普段　→ 現在形
- **I'm glad he's being kind.**（彼が優しくしているからよかった）今　　→ 進行形
- **I'm glad they didn't get in trouble.**（彼らが怒られなくてよかった）過去　　→ 過去形
- **I'm glad we're going to get a bonus.**（今度ボーナスがもらえるからよかった）未来　　→ 未来形

一方、**I hope** はこんな感じになります。

- **I hope she lives in Tokyo.**（彼女が東京に住んでいたらいいな）普段　→ 現在形
- **I hope he's being kind.**（彼が優しくしていることを期待しています）今　　→ 進行形
- **I hope they didn't get in trouble.**（彼らが怒られてなければいいんだけど）過去　　→ 過去形
- **I hope we get a bonus.**（ボーナスがもらえたらいいな）未来　　→ 現在形

このように、「普段」「今」「過去」は例外の使い方では

なくて、「**I'm glad**」の例文と同じ文が「**I hope**」につづきますが、「未来のこと」だけ例外的な使い方です。どちらも未来のことを表しているけど、「**I'm glad**」には「**We're going to get a bonus.**」と未来形の文、「**I hope**」には「**We get a bonus.**」と現在形の文ですね。

いくつかの例文をみていきましょう。

「彼が来るといいな」の場合、「彼が来る」のは未来のことなのに、

I hope <u>he comes</u>.

と「**I hope**」のあとに、「**He comes.**」と現在形の文を使います。

「きっと雨が降るだろうな」は、「雨が降る」のは未来のことなのに、

I bet <u>it rains</u>.

と「**I bet**」のあとに、「**It rains.**」と現在形の文を使います。

「彼が来ないといいな」の場合、「彼が来ない」のは未来のことなのに、

I hope he doesn't come.

と「**I hope**」のあとに、「**He doesn't come.**」と現在形の
文を使います。

　「雨が降らないといいな」の場合、未来のことを言って
いるのに、

I hope it doesn't rain.

と現在形の文を使います。

　「彼らはきっと別れるだろう」は、これから別れるので
未来のことなのに、

I bet they break up.

と、「**I bet**」に続くから「**They break up.**」と現在形の文。

　「彼らはきっと遅刻するだろうな」は、未来のことなの
に、

I bet they're late.

と、「**I bet**」のあとなので「**They're going to be late.**」
と未来形にせずに、「**They're late.**」と現在形で言います。

「私たち、給料がもらえなかったらどうする？」は、未来のことなのに、

What if we don't get paid?

と、「**What if**」のあとだから、「**We don't get paid.**」と現在形の文です。

　「彼にバレたらどうしよう！」は、未来のことを心配しているのに、

What if he finds out?

と「**What if**」のあとだから「**He finds out.**」と現在形で言います。

　「壊れたらどうしよう？」は、未来のことを心配しているのに、

What if it breaks?

と現在形で言います。

「I hope, I bet, What if」を形容詞の単文に付け足す

次は形容詞の文を見てみましょう。

「性格」のカテゴリー以外の形容詞は「普段」も「今」も現在形でしたね。

「I hope」「I bet」「What if」のあとは、未来のことも現在形で表すので、「普段」も「今」も「未来」も全部同じ言い方になります。

たとえば、

「彼が普段忙しくなければいいな」は、

I hope he's not busy.

「彼が今忙しくなければいいな」は、

I hope he's not busy.

「彼がこれから忙しくなければいいな」は、

I hope he's not busy.

と全部同じ「He's not busy.」になりますね。

「I hope」と「I bet」は、未来のことを現在形で言うのが一般的ですが、未来形を使うこともあります。

僕はこれまでに映画やドラマの台本を400本くらい分析していますが、未来に対して使う「I hope」と「I bet」は、8割が現在形、2割が未来形になっています。

しかし「現在形を使うケース、使わないケースのいったい何が違うの？」と考え始めると、かえってわかりにくくなって何も話せなくなってしまいますから、あえて僕は「I hope, I bet を使うときは、現在形を使いましょう」と教えています。

ちなみに「what if」そして、5章で学ぶ「if」「when」「before」「after」「until」の場合は、未来のことを必ず現在形で言うので注意しましょう。

時制をいろいろ織り交ぜて練習しよう

ここまで、未来のことを現在形で表す例文を見てきましたが、未来のこと以外は普通の時制の使い分けです。「普段のこと」は現在形、「今のこと」は進行形、「過去のこと」は過去形を使います。

「彼が車を持っているといいね」は

I hope he has a car.

と普段のことは普通に現在形。

「昨日彼女が怒られてなければいいんだけど」なら、

**I hope she didn't get in trouble
yesterday.**

と過去のことが普通に過去形。

「彼はきっと行かなかったんだろう」は、

I bet he didn't go.

と過去のことが普通に過去形。

「きっと彼らはもう飲んでいるだろうな」は、

I bet they're drinking.

と今のことは普通に進行形。

「彼が犬がダメな人だったらどうしよう」は、

What if he doesn't like dogs?

と普段のことが普通に現在形。

「彼らが別れていたらどうする？」は、

What if they broke up?

と過去のことは普通に過去形。

　通常の理屈に慣れるためにも、例外に慣れるためにも、とにかく例文をた〜くさんつくって発信していくことですね！シートのパーツＣもいっぱい練習してみましょう。「できるかどうか」よりも「余裕があるかどうか」が大事なので、寝言で言えるようになるまで練習をつづけましょう！

「文と文をつなぐ言い回し」
でネイティブ並に
英語を扱える

文と文をつなぐだけで、長い話もこんな簡単に言えてしまう

　パーツＡとＢを使って「単文」が言えれば、あとはそれを２つつくり、その文と文をつなぐだけで複雑な話もできます。

　この Section 1 では、そのままの形で文と文をつなぐ言い回しを見ていきましょう。

　A4 シートのパーツＣをみてください。まずは、**but**, **because**, **so** で文をつないでみましょう。

　それぞれ、前の文も後の文も、通常の時制（そのままの形）なので、今まで学んだ理屈で文をつくりましょう。「普段のこと」は現在形、「今のこと」は現在進行形、「過去のこと」は過去形、「未来のこと」は未来形を使います。

　まずは序章（33ページ）で紹介した例文でおさらいしましょう。

　たとえば、「私たちは一度別れたが、よりが戻りそうだ」という文は、

We broke up but we're going to get back together.

となりました。

「別れた」のは過去なので、

We broke up.

と過去形です。
「よりが戻りそう」は未来のことなので、

We're going to get back together.

と未来形です。

あとはその2つの文を「**but**」でつなぐだけですね。

では、「目標達成したから昇格しそうだ」という文は、どうなるでしょうか？　これは、

I'm going to get promoted ~~because~~ **I hit my target.**

となります。
「昇格しそう」は未来のことなので、

I'm going to get promoted.

と未来形。

「目標を達成した」は過去のことなので、

I hit my target.

と過去形になります。

その2つの文を「**because**」でつなぐだけですね。どちらの文も、そのままの通常の時制の文をつなぐだけなので簡単ですね。

間違いやすい because と so の使い分け

「**but**, **because**, **so**」を使った、この非常にシンプルな言い回しですが、唯一つまずきやすいかなと思うのは「**because**」と「**so**」の使い分けです。

because の後は「理由」「原因」。「なぜなら」という意味です。

so の後は「結果」「結論」がつづきます。「なので」「だから」という意味です。

たとえば、次の2つの文を見てみてください。

I got in trouble because I was late.

怒られた、なぜなら、遅刻したから（→怒られた理由）。

I was late so I got in trouble.

遅刻した、なので、怒られた（→遅れた結果）。

　このように、2つの文の順番を逆にすれば「**because**」と「**so**」は同じ意味になりますね。順番に気をつければどちらを使っても大丈夫です。

　でも日本人はよく、この2つを逆の意味に使ってしまったりするんです。
　その原因は、**because** を、「だから」という日本語に頭の中で訳してしまっているからです。

　たとえば、「彼は私を捨てた。だから私は泣いた」と言いたくて、

×　He dumped me because I cried.

とするのは NG です。これだと「彼が私を捨てた、なぜなら私が泣いたからです」という意味になってしまいます。
　「お前、泣いたな！出て行け！」というワンシーンが思い浮かびます（笑）。どれだけスパルタな彼氏なんでしょうか？

正しくは、

◯　**He dumped me so I cried.**

となります。

because ではなく **so** を使うんですね。

　このように、日本語から考えると因果関係が混乱して変な訳し方をしてしまいます。

　because の後は理由、**so** の後は結果ですね。慣れるまで声に出していっぱい練習しましょう。

　例文をランダムにつくっていくと、いろいろな言い回しに慣れてきますよ。

未来を現在形で言う if, when, before, after, until

4章の「**I hope**」「**I bet**」「**What if**」（140ページ）のように、未来のことを現在形で言う表現がありましたね。

これは文と文をつなぐ「**if**」「**when**」「**before**」「**after**」「**until**」も同じです。

「普段」は現在形、「今」は進行形、「過去」は過去形、と普通の時制の使い分けですけど、「未来のこと」だけは例外で、現在形で言います。「**I hope**」「**I bet**」「**What if**」と同じ使い方なので、シートのパーツCでは同じところに載っていますね。

「**I hope**」が正しく使える人は、「**if**」「**when**」「**before**」「**after**」「**until**」も苦労しないはずです。

しかし、もう1つの落とし穴があります。これがまた「日本語に惑わされる」というものです。

これまでに説明したように、日本語をヒントにせずに、英語の理屈に沿って、内容で判断して時制を使い分ければ

難しくないんですが、日本語につられて間違える人はいっぱいいます。

「when」「after」には要注意！

みなさんは日本語のネイティブですが、ネイティブは母国語をあまり意識せずに使っていることが多いんです。たとえば、日本語では、「未来のこと」を過去形で言うことが多いってご存じでしょうか？

たとえば「明日、彼が来たときに話しましょう」と言いますよね。
「明日」は当然未来のことですが、「彼が来たときに」と過去形で言っていることに気づきませんか？

同じように、「明日、会社が終わったあと、飲みに行きます」という言い方では、どうでしょう。
「明日」は当然未来のことですけど、やっぱり「会社が終わったあと」と過去形で必ず言います。だって「仕事が終わるあと」とは言わないですね？

「before」「until」にも要注意！

「する前に」と「するまで」の言い方は、日本語では「過去のこと」でも絶対に過去形にしないってご存じでしょうか？

たとえば「昨日、寝る前に、歯を磨いた」と言いますね。

「昨日」なので当然過去のことですが、「昨日、寝た前に」と過去形に絶対しないですよね。「昨日、寝る前に」と必ず現在形で言いますね。

でも、英語では、過去のことは必ず過去形になります。

同じように、「昨日、彼が来るまで待った」では、

「昨日」は当然過去のことですが、「彼が来たまで」とは絶対に言いませんね。

過去のことでも必ず「彼が来るまで」と現在形で言いますよね。

でも、英語では、過去のことは必ず過去形になります。

あとで詳しく説明しますが、日本語には日本語の理屈があって、決して日本語がおかしいと言っているわけではないですよ。ただ、英語と日本語にはこういう違いがあるから、英語をつくるときには日本語をヒントにできないということです。

たとえば、

× Let's talk about it when he came tomorrow.

× I'm going to go drinking after I finished work tomorrow.

× I brushed my teeth before I ~~go~~ to bed yesterday.

× I waited until he ~~comes~~ yesterday.

と間違える人が本当に多いです。日本語から考え始めるから英文の時制がおかしなことになってしまうんですね。

正しくは、次のとおりになります。

○ Let's talk about it when he comes tomorrow.

○ I'm going to go drinking after I finish work tomorrow.

（＊ **if** / **when** / **before** / **after** / **until** の後は未来のことを現在形で言う）

○ I brushed my teeth before I went to bed yesterday.

○ I waited until he came yesterday.

（＊ **if** / **when** / **before** / **after**/ **until** の後は過去のことを過去形で言う）

文と文の時制の組み合わせは大体 3パターンだけ

　今の説明ってちょっとややこしいですよね。でも、ご安心ください。A4シートを使えば、こんな理屈は考えずに、もっともっと簡単に言える感覚が身につきます！この項目では、英語を日本語から考えると、こういう英語と日本語の違いに惑わされて間違える人が多い、ということを伝えたかっただけです。

　A4シートのパーツCでは、以下の図のような表現がありますね？　このテンプレートに沿って英語をどんどん発信してみましょう。

普段のこと	→	現	**if** **when** **before** **after** **until**	現
未来のこと	→	未		現
過去のこと	→	過		過

　「**but**」「**because**」「**so**」では、2つの文はバラバラの時制になることが当たり前です。

　一方で「**if**」「**when**」「**before**」「**after**」「**until**」では、例外もたまにありますが、大体は、

　●左の文が「普段のこと」なら右の文も「普段のこと」

●左の文が「未来のこと」なら右の文も「未来のこと」
（だけど現在形で言う）
●左の文が「過去のこと」なら右の文も「過去のこと」

の３パターンになります。

なので、まずは「時制」を決めて、そのあと、システム化する感じで、

●「普段のこと」なら、左の文が現在形、右の文も現在形
●「未来のこと」なら、左の文が未来形、右の文は現在形
●「過去のこと」なら、左の文が過去形、右の文も過去形

と考えるのがベストです。未来のことを言うときは、右側の文だけが現在形になるので気をつけましょう。

　普段のことなら「現在形・現在形」、過去のことは「過去形・過去形」、というように左側と右側で同じ時制になることがほとんどです。「未来のことを現在形で言う」ような英語の不思議な文法や日本語の表現に惑わされなくなることを考えれば、たとえ数少ない例外を捨ててでも、このように簡単に考える価値は十分あります。

　なにより、このように考えることによって、隣に先生がいなくても正しい英語の感覚が身につけられるということも大きなメリットです。自分で英語を練習するときには、

必ずしも隣に先生がいるわけではないので、ひとりで勉強しているうちにいつの間にか間違いを練習してしまう恐れがあります。間違いを練習してしまうとその間違った感覚が身についてしまうので、このように考えて練習するのがベストですね。

さあ、実際にシートを使いながら、ここからのクイズに答えて感覚をつかんでいきましょう！

Q. 「彼が来るまで私は待ってるね」は？

時制は？————————— 未来のこと

2つの文の時制は？——— 左：未来形、右：現在形

なので英文は？————— **I'm going to wait until he comes.**

Q. 「彼が来るまで私は待った」は？

時制は？————————— 過去のこと

2つの文の時制は？——— 左：過去形、右：過去形

なので英文は？————— **I waited until he came.**

日本語では、未来のことでも過去のことでも、「彼が来るまで」までは言い方が同じなんですよね。後半の文で時制が決まる感じですね。

Q. 「雨が降る前に帰った」は？

時制は？————————— 過去のこと

2つの文の時制は？── 左：過去形、右：過去形

なので英文は？──────── I went home <mark>before</mark> it

rained.

　このクイズ、あなたは、

×　I went home before it ~~rains~~.

にしませんでしたか？

　これは間違いですよ。「雨が降る」という現在形の日本語に引っ張られて、**before** のあとを **it rains.** にしないように。「雨が降る前に帰った」というのは、どちらも過去のことなんです。

Q. 「雨が降る前に帰るね」は？

時制は？──────────── 未来のこと

2つの文の時制は？── 左：未来形、右：現在形

なので英文は？──────── I'm going to go home

<mark>before</mark> it rains.

　やはり日本語では、未来のことでも過去のことでも、「雨が降る前に」までは同じなんですよね。最後の文で時制が決まる感じです。

Q. 「早く帰るときは夕飯をつくっています」は？

時制は？──────────── 普段のこと

なので英文は？──────── I make dinner **when** I go home early.

「夕飯をつくっています」はこの文の場合、普段のこと、習慣なので現在形です。「つくっています」の日本語にまどわされて現在進行形にしないように注意しましょう。

Q. 「もし雨じゃなければ海に行く予定です」は？

時制は？──────── 未来のこと
2つの文の時制は？ ── 左：未来形、右：現在形
なので英文は？──────── I'm going to go to the beach **if** it doesn't rain.

Q. 「怒られる前に帰った」は？

時制は？──────── 過去のこと
2つの文の時制は？ ── 左：過去形、右：過去形
なので英文は？──────── I went home **before** I got in trouble.

ちなみにこの文には大切なポイントがあります。怒られる前に帰ったということは、結局怒られなかったのに、「**I got in trouble.**（怒られました）」という文にするところです。

これは2つの点で難しいと言えます。

1つは、文全体で伝えたいのは過去のことなのに、日本語が「怒られる前に」と現在形になっていること。

　2つめは、結局は怒られていないのに「**I got in trouble.**」と英語を過去形にするところです。

　英語では、結局はそうならなかった内容でも、このように過去形で言います。

　同じように、「東京に住む前は大阪に住んでいた」は、

I lived in Osaka before I lived in Tokyo.

となります。

　今も東京に住んでいる場合でも、「**I lived in Tokyo.**」と過去形で言うんですよね。

　こういう例を考えると、やはり「左の文が過去形なら右の文も過去形」とシステム化する感覚を身につけるのが1番効果的ですね。

　「過去のこと」なので、「左が過去形なら、右も過去形」とテンプレートで考えましょう。

ランダムにシャッフルして
つなぎ方をマスターしよう

　では、これまでのことを振り返りながらランダムに練習してみましょう。

　シートを見ながら次のクイズにどんどん答えていってください！

Q.「彼が来る前に私が寝ちゃいそう」は？

時制は？————— 未来のこと

2つの文の時制は？—— 左：未来形、右：現在形

なので英文は？————— I'm going to go to bed before he comes.

Q.「彼が来る前に寝ちゃった」は？

時制は？————— 過去のこと

2つの文の時制は？—— 左：過去形、右：過去形

なので英文は？————— I went to bed before he came.

Q.「彼が来る前にいつも寝ちゃう」は？

時制は？————— 普段のこと

2つの文の時制は？—— 左：現在形、右：現在形

なので英文は？ ——————— I go to bed before he comes.

Q. 「いつも会社へ行く前にジムに行ってます」は？

時制は？ ——————— 普段のこと

2つの文の時制は？ —— 左：現在形、右：現在形

なので英文は？ ——————— I go to the gym before I go to work.

Q. 「会社へ行く前にジムに行くつもり」は？

時制は？ ——————— 未来のこと

2つの文の時制は？ —— 左：未来形、右：現在形

なので英文は？ ——————— I'm going to go to the gym before I go to work.

Q. 「会社へ行く前にジムに行った」は？

時制は？ ——————— 過去のこと

2つの文の時制は？ —— 左：過去形、右：過去形

なので英文は？ ——————— I went to the gym before I went to work.

Q. 「彼らが別れてから彼に告白した」は？

時制は？ ——————— 過去のこと

2つの文の時制は？ —— 左：過去形、右：過去形

なので英文は？ ——————— I asked him out after they broke up.

Q. 「彼らが別れてから彼に告白するつもり」は？

時制は？――――――― 未来のこと

2 つの文の時制は？ ―― 左：未来形、右：現在形

なので英文は？―――――― I'm going to ask him out
after they break up.

形容詞も使ってみましょう。形容詞の文も「**if**」「**when**」「**before**」「**after**」「**until**」の後は「未来のこと」を現在形で言います。「過去のこと」は過去形、「普段のこと」は現在形です。

それではまた、次のクイズに答えていってください。

Q. 「晴れるまで待った」は？

時制は？――――――― 過去のこと

2 つの文の時制は？ ―― 左：過去形、右：過去形

なので英文は？――――――― I waited until it was sunny.

Q. 「晴れるまでいつも待っている」は？

時制は？――――――― 普段のこと

2 つの文の時制は？ ―― 左：現在形、右：現在形

なので英文は？――――――― I wait until it's sunny.

Q. 「晴れるまで待つよ」は？

時制は？――――――― 未来のこと

2 つの文の時制は？ ―― 左：未来形、右：現在形

なので英文は？——— I'm going to wait until it's sunny.

　未来のことを言っているけど、「**until**」のあとの文はやはり現在形の「**It's sunny.**」ですね。
　次も同じように考えましょう。

Q. 「もし晴れなければ行かない」は？

時制は？——————— 未来のこと

2つの文の時制は？—— 左：未来形、右：現在形

なので英文は？——— I'm not going to go if it's not sunny.

Q. 「彼が意地悪を言ったら帰るつもり」は？

時制は？——————— 未来のこと

2つの文の時制は？—— 左：未来形、右：現在形

なので英文は？——— I'm going to go home if he's mean.

　いかがでしたか？
　システム化して覚えるとスッと英文がつくれたのではないでしょうか。
　この練習をやればやるほど、楽に、ネイティブと同じ感覚で英語がスラスラ話せるようになるので、いろ〜んな内容で、いっぱい練習しましょう！
　練習したもん勝ちです！

日本語と英語の時制感覚の違い

　日本語と英語の「時制の感覚の違い」について、少し詳しい補足をします。でも、この話を一生懸命考える必要はないです。気になる人もいるのかなと思って説明しますが、まあ、トリビアみたいな話です。

　これまで、日本語は「未来のこと」なのに「明日、彼が来たときに」「明日、仕事が終わった後」と過去形にするとか、「過去のこと」なのに日本語では「昨日、寝る前に」「昨日、彼が来るまで」と過去形にしないということを話してきましたね。これはもちろん日本語がおかしいということではありません。日本語と英語の時制感覚の違いです。

- ●日本語はタイムスリップして、その2つの行動の間の時点から語る
- ●英語は今現在しゃべっている時点から語る

という特徴があります。

　たとえば、

I brushed my teeth before I went to bed yesterday.

昨日、寝る前に歯を磨いた。

という文。

歯を磨いた　　　　寝た　　　　　今

日本語は
2つの間の時点
から語るイメージ

英語は
「今」の時点
から語るイメージ

　英語的にはどちらも昨日のことなので、今しゃべっている時点から考えると、どちらも過去のことなので、どちらも過去形になります。

　しかし日本語では、「歯を磨く」と「寝る前」の2つの行動の間の時点からしゃべっている感覚なので、「もう歯を磨いた」「これから寝る」イメージですね。だから過去のことなのに、「寝る前に」として過去形にしないんですね。

　もう1つ、たとえばこんな文も考えてみましょう。

I'm going to go drinking after I finish work.

仕事が終わったあと飲みに行く予定。

これは、未来の話なのに日本語は「仕事が終わった後」と過去形で言います。

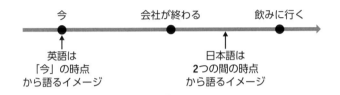

　英語では、今しゃべっている時点から考えるので、「会社が終わる」のも「飲みに行く」のも「未来こと」になります。（なのに **after** のあとに続く文は現在形で言います、結局英語がおかしいですね……。）

　一方、日本語では「仕事が終わる」と「飲みに行く」という２つの行動の間の時点から語る感覚なので「仕事が既に終わった」「これから飲みに行く」イメージですね。だから「仕事が終わった後」と過去形になるんですね。

　こういう理屈を考えると難しくなるので、A4 シートのテンプレートだけを考えればいいんです。

　この本では、最初から日本語と英語の時制に惑わされないためには、英語で普段・今・過去・未来のどれなのかを考えるところからスタートすることが大切だと言ってきました。これは、１つの文のときも、文を２つつなげるときにも変わりません。

　ネイティブの感覚がどんどん身についてきましたね。

複雑な内容が
ちょい足しで
サラッと言える
「奇跡の応用」を
使いこなす

教科書には載ってないが、ネイティブが日常でめちゃくちゃ使う話し方

文末に単語をちょっと付け加えるだけ

最後の章は「奇跡の応用」について説明します。

何が奇跡か？！

それは、文の後ろにパーツをくっつけるだけで、"奇跡的に簡単に"ネイティブの言い方ができるようになるからです。

A4 シートのパーツ D を見てください。

- ① 形容詞
- ② with 名詞
- ③ 動詞 ing

とあります。

この①②③が、完結している文にプラスアルファでくっつけるそれぞれのパーツです。少し見ていきましょう。

He came home.
彼は帰ってきた。

これは完成している文です。これに、①形容詞の **hungry** を後ろにくっつけます。すると、

He came home hungry.
彼はお腹を空かせて帰ってきた。

という文になり、もう少し丁寧に言えば「彼がお腹を空かせた状態で帰ってきた」という意味になります。このように、完成した文に形容詞を一語くっつけるだけで OK なんですね。

　さて、「朝起きたら有名人になっていた」はどうやって表すでしょうか。

　「有名人は **famous person** だから……。**I woke up with the famous person.** かしら？」

という人が多いんですが、この英文では「朝起きたら隣にセレブがいた」という意味になってしまいます。

　また、文法のテキストに、

△　I awoke to find myself to be famous.

と載っているのを見たことがありますが、ネイティブはこんな言い方は絶対にしません。なぜならまわりくどいから（笑）。

○　**I woke up famous.**

が正解です。

I woke up.
目が覚めた（朝起きた）。

という元々完結している文に

＋ famous.
有名である

と形容詞を付け足すだけなんです。

　これで OK です。

　やっぱり、本当の英語はシンプルなのに、日本語からスタートするからこそ、難しく、不自然な表現になってしまうということですね。

「名詞」なら「with」でつなぐだけ

　たとえば、「彼が帰ってきたとき、頭痛だった」は、どう英語で言ったらいいでしょう？

He came home.
彼が帰ってきた。

という元々完結している文に

+ with a headache.

を付け足して、

He came home with a headache.

となります。「**a headache**」は名詞なので「**with**」も付ける、とシンプルにロジカルに考えるだけです。

　そして、因果関係があってもなくても使えるのでとても便利です。

　たとえば上記の「**He came home with a headache.**」は「彼は帰ってきたとき頭痛だった」と、因果関係がない場合も使えます。

　あるいは「彼は頭痛だったから帰ってきた」と、因果関係がある場合にも使えます。

　たとえば「彼は口紅をシャツにつけて帰ってきた」は

He came home with lipstick on his shirt.

と言います。

He came home.

という元々完結している文に、

+ with lipstick on his shirt.

を付け足すだけですね。

lipstick は名詞なので **with** でつなぐ、とシンプルかつロジカルに考える感じです。この場合は「**on his shirt**」がないと意味がはっきりしないので付けましょう。

「動詞」なら「ing」にして付け足すだけ

これは文法書に載っている、「現在分詞の分詞構文」という文法ですが、堅苦しいネイミングを気にしなければとっても簡単です。

たとえば「彼は泣きながら帰ってきた」は、

He came home crying.

と言います。

He came home.

という元々完結している文に、

+ <u>cry</u> ing

を付け足すだけなので、簡単ですね。「**cry**」は動詞なので「**ing**」だと、シンプルにロジカルに考えましょう。

奇跡の応用を使えば、より簡単に、より自然な英語になる！

この応用は本当におすすめです。付け足す部分は、時制や活用など、難しい英文法が全く関係ないのが特長です。

たとえば、この応用を知らない人は、

△　**He was hungry** when **he came home.**

と2つの文をつくらないといけなくて、それぞれの文の時制や活用などを考えると難しいんです。そしてさらに、1つは形容詞の文で、もう1つは動詞の文なので、その理屈がまた違うんですよね。

この応用を知っている人は、

He came home ＋ hungry.

と１つの文で済むんです。大分楽になりますね。

そして、楽になると同時に、より自然な英語にもなります！

この応用を知らない人は、

△ **He was crying while he was coming home.**

と２つの文を作らないといけないんですが、この応用を知っている人は「**He came home ＋ crying.**」と、よりシンプルで、より自然な英語になります。

ちなみに「悩み事を抱えて帰ってきた」は、英語で何と言うのでしょうか。

このとき、「悩み事はなんて言うんだろう？ trouble かな？」と考える人が多いのではないでしょうか。

正解は **problem** です。

日本語から考えると、問題は **problem**、悩み事は **trouble** と考えがちなのですが、「問題」も「悩み事」もどちらも **problem** で表します。

「この日本語の単語にはこの英語の単語」という思い込みはいったんとっぱらい、A4 シートを使って英語で考えるクセをつけていきましょう。

奇跡の応用は3つのパターンがある

　奇跡の応用には次の3つのパターンがあります。それ
ぞれ例文を添えて見てみましょう。

①　形容詞を付け足す

I went to bed hungry.
お腹を空かせたまま寝た。

②　with ＋名詞を付け足す

I went to bed with a headache.
頭痛で寝込んだ。

③　動詞 ing を付け足す

I went to bed wearing contacts.
コンタクトをつけっぱなしで寝た。

（＊余談ですが、身体につけるものは全部 **wear** です。）

I went to bed wearing makeup.
化粧をつけたまま寝た。

複雑な内容がちょい足しでサラッと言える「奇跡の応用」を使いこなす　6章

　ちなみに、「化粧」という意味の「makeup」は名詞です。そして身体につけるものはすべて「wear」を使います。

　また、名詞の「makeup」に似ているのですが、動詞の「make up」は、「仲直りする」という全く違う意味です。これでいうと、"I went to bed making up." と言う人がいますが、これは仲直りをしながらベッドに向かったという意味になってしまいます。よく間違える人がいるので気をつけましょう。

① 形容詞を付け足す

なぜ副詞ではなく形容詞なのか？

He came home hungry.
彼はお腹を空かせて帰ってきた。

という文。よくある質問は、「**hungry**じゃなくて**hungrily**じゃないの？」というものです。しかし「**hungrily**」は間違いなんですね。

　みなさんが学生のときに、**-ly**をつけて副詞にすると習ったはず。その名残で、**hungrily**なんじゃないかと思うようです。
　しかし、「**ly**」を付けて副詞にするのは「帰ってきた」という動詞を修飾するときのみです。

× **He came home hungrily.**

と言ってしまうと、「ハングリーに帰ってきた」と「帰り方」を説明していることになります。完全に違う意味になってしまいます。「帰り方がハングリー」というように動

詞を修飾しているわけではないので、**hungrily** ではなく、形容詞のまま **hungry** を使うんです。「帰ってきたとき、お腹が空いていました」という意味になるように。

　同じように、「帰ってきたとき、（英語が）ペラペラだった」は、次のように言います。

He came back fluent (in English).

　「ペラペラ」は「**fluent**」という形容詞です。その形容詞をそのまま文末に付け足すだけなので、

He came back ＋ fluent.

となります。

　これを、**fluently** と副詞にしてしまうと、「ペラペラに帰ってきた」になってしまいます。「帰り方がペラペラ」と変な文になってしまいます。
　「帰り方がペラペラ？」「歩き方がペラペラしてたの？」とネイティブにはよくわからないことになるのです。

否定形は形容詞に not をつけるだけ

　文末に付け足す形容詞を否定するときは、

not drunk

このように形容詞の前に **not** をつけるだけで OK です。
このやり方は、単語がわからないときにも役立ちます。

He came back drunk.

は「彼は酔っぱらって帰ってきた」という意味ですね。

それでは「彼はシラフで帰ってきた」はどうなるでしょうか。「シラフっていう単語がわからないから言えない」と思っている人、発想を切り替えてみましょう。

He came home ＋ not drunk.

と言えばいいんです。
シラフという単語がわからなくても大丈夫！
（＊ちなみに、シラフという形容詞は **sober** です。）

その単語を知らなかったからといってあきらめるのではなく、柔軟性を持って、自分の知っている英語を使って表してみることが大切です。
自分が知っている英語で言ってみるということに関してもう少し練習してみましょう。

「上機嫌で帰ってきた」は何と言うでしょう？

「上機嫌」がわからないからといって諦めるのではなく、

He came home ＋ <u>happy.</u>

と言えばいいんです。

　小学生でも知っている単語の **happy** をなぜ大人が言えないかというと、日本語の「上機嫌」にこだわるからです。難しく考えすぎないようにするのもスムーズに会話を進めるうえではすごく大切ですよ。

　「落ち込んで帰ってきた」は何と言うでしょう？
　「落ち込んでいる」という英単語を知らないからといって諦めるのではなく、

He came home ＋ <u>sad.</u>
He came home ＋ <u>not happy.</u>
He came home ＋ <u>unhappy.</u>

のどれでもかまいません。
　簡単な単語でなんでも言えるんですよね。
　逆に、「落ち込んでいる」を調べると「**depressed**」という単語がありますが、
　「**depressed**」は「鬱」とより深刻な感じですね。難しい単語を調べずに、元々知っている簡単な単語を使う方がむしろいいんです。

② with ＋名詞を付け足す

名詞は with でくっつける

「彼は風邪をひいて帰ってきた」は

He came home with a cold.

と言います。これは、

He came home.
彼は帰ってきた。

という完結している文に、

with a cold（with ＋ 名詞）

がくっついた文です。

He came home sick.

も同じように「彼は風邪をひいて帰ってきた」という意味

になりますが、**sick** は形容詞なので、そのまま付け足すだけです。

a cold は風邪という名詞なので **with** でつなげます。

たとえ意味が同じでも、くっつける単語の品詞によって使い方が変わります。

「朝起きたら筋肉痛だった」は、

I woke up <u>sore</u>.

と言います。

「**sore**」は「痛い」という意味の形容詞ですけど、「筋肉痛」という意味で特によく使われます。形容詞だからそのまま付け足します。

「朝起きたら脚が筋肉痛だった」は、

I woke up with <u>sore legs</u>.

と言います。

同じ「筋肉痛」の話ですけど、「**sore legs**」は名詞なので「**with**」でつなぎます。

否定するなら名詞の前に「no」をつける

with ＋名詞の部分を否定するときは、名詞の前に no を
つけます。

「彼は一文無しで帰ってきた」は、

He came home with money.
彼はお金を持って帰ってきた。

の

with money

を

with <u>no</u> money

と否定形にして、

He came home with no money.

とします。

ほかにも、

Come with no expectations.

先入観なしで来てみて。

のように使います。

💡 **point**

　ちなみにこの「come」は一語だけなので、完結して
いる文には見えないかもしれません。でも実はこれは完
結している「命令文」です。命令文は動詞の原形から始
まります。

③ 動詞 ing を付け足す

動詞ingで、「〜しながら」「〜していて」

　動詞も ing 形にすれば完成している文に付け加えること
ができます。

　受験英語で「分詞構文」として習ったことがある人もい
るのではないでしょうか。「動詞 ing」で、「〜しながら」
「〜していて」という意味になります。

　たとえば「料理をしていて指を切っちゃった」は、

I cut my finger cook ing .

　「いつも音楽を聴きながらジョギングしている」は、

I jog listen ing to music.

　「彼はお酒の臭いをさせながら帰ってきた」は、

He came home smell ing like alcohol.

「朝起きたら床で寝ていた」は、

I woke up ly ing on the floor.

否定形は動詞の前に「not」をつける

否定形は動詞の前に「**not**」をつければ OK です！

「彼はメガネをかけないで帰ってきた」は、

He came home not wearing his glasses.

「目が覚めたとき、自分がどこにいるかわからなかった」は、

I woke up not knowing where I was.

「すっぴんで出社した」は、

I went to work not wearing makeup.

というようにします。

さらにたくさんのことが言えるようになる「ダブル奇跡の応用」

「奇跡の応用」を付け足せるとき、付け足せないとき

　奇跡の応用のさらに便利なところは、いくつでも付け足せるところです。

　「ダブル奇跡の応用」を見る前に、「奇跡の応用」の理解を少し深めましょう。

　付け足す部分は、元の文に入っている人や物にかかります。主語でも目的語でもいいんですけど、元の文に入ってないといけません。

　次の文を見てください。

I saw him crying.

　この文は、

● 「彼が泣いているのを見た」
● 「私が泣きながら彼を見た」

のどちらの意味にも解釈することができます。

なぜなら、**I** も **him** も元の文に入っているからです。

一方で「雨が降っている中を彼が帰ってきた」と言いたくて、

✕　He came home raining.

とは言えません。

元の文（**He came home.**）には「**He**」しか入ってないですよね。その文に「**raining**」を付け足してしまうと、「**He is raining.**（彼は雨が降っている）」のような変な意味になってしまいます。

「雨が降る」など「天気」の主語は「**It**」でしたね。元の文に it が入っていないので「**raining**」を付け足すことはできないんです。

これがダブル奇跡の応用だ！

「テレビを観ていては、集中できない」と言うときは、

I can't concentrate watch ing TV.

となります。

元の文には「**I**」しか入ってないので、「**watching TV**」も「**I**」にかかっているということですね。つまり、テレ

ビを観ているのも自分、集中できないのも自分ですね。

　では「あなたがテレビを観ていては、私は集中できない」
と言いたいときはどうでしょうか。正解は、

I can't concentrate **with** **you** **watch** **ing** **TV.**

です。
　集中できないのは私、テレビを観ているのはあなた、と
いうことですが、

I can't concentrate.

という元の文には「**you**」が入ってないので、

　+ **with** **you**

を付け足します。

I can't concentrate **+** **with** **you** **+** **watch** **ing** **TV.**

ということですね。

　これが、2つのパーツを付け足している「ダブル奇跡」

なんですね。

　you は名詞なので **with** でつなげて、文末に **with you** とつけます。ちなみに、あなたといっしょにテレビを観る、という意味ではありません。

　他にも「目が覚めたらベッドの上で寝ていた」は、

I woke up ＋ ly ing on the bed.

という言い方になります。目が覚めたのも自分、ベッドで寝ていたのも自分なので、このシングル奇跡のままで表せます。

　でも「目が覚めたら、犬がベッドの上で寝ていた」なら、

I woke up ＋ with the dog ＋ ly ing on the bed.

になります。目が覚めたのは自分ですが、ベッドの上で寝ていたのは犬です。しかし、「**the dog**」が元の文に入ってないので「**with the dog**」を付け足して、ダブル奇跡にします。

　他にも「窓を開けっ放しで寝た」は、

I went to bed ＋ with the window ＋ open.

　上の例文と同じように、寝たのは自分で、開いていたの
は窓です。しかし、元の文に「**the window**」は入ってな
いので「**with the window**」を付け足します。

　ちなみに、最後についている「**open**」は、動詞ではな
く形容詞です。「**open**」という動詞もありますが、「**open**」
という形容詞もあります。

　動詞は「動作・動き」を表すので、動詞の「**open**」は
「開ける・開く」。

　形容詞は動きのない「状態」を表すので、形容詞の
「**open**」は「開いている」。

　「窓を開けるという動作をしながらベッドに入った」で
はなく、「窓が開いている状態で寝た」という意味なので、
形容詞の出番ですね。

point

この項目で紹介した「ダブル奇跡の応用」は、日本人の方にはあまり馴染みのない表現であるせいか、「ネイティブって本当にこんな言い方をしているんですか？」なんて質問をされることもあります。

前にも言ったとおり、僕は映画やドラマのセリフを400本くらい分析しました。

そのなかで「奇跡の応用」を5つも付け足している文はさすがに2回しか見たことがありませんが、2つ、3つ付け足されている文は日常茶飯事です。

ドラマや映画、ビートルズの歌詞、小説などで、「奇跡の応用」を2つ、3つ、5つ付け足している例を集めたYouTubeの動画を作りました。以下のQRコードで、ぜひ観てみてください。

付け足す順番はどうなるの？

　特に、2つ、3つを付け足す場合、1番混乱するのは順番ですね。

　ダブル奇跡、トリプル奇跡を使って文をつくるとき、後に付け足す2つ（3つ）のパーツの順番を気にしないといけない場合と、まったく気にしなくていい場合があります。

　先ほどまでに紹介した「ダブル奇跡の応用」の例文は全部その順番じゃないといけません。

　たとえば次の文を思い出してください。

I can't concentrate with you watch ing TV.

　この文でなぜ **with you** が先にくるかと言うと、**you** が **watching** に対して主語だからです。

　英語では、

I learn English.

のように、「主語」は必ず動詞の左側です。逆に「目的語」は動詞の右側ですね。

　「**you**」は「**watching**」の主語なので動詞の左側につけるわけです。だから「**with you**」が先に入りますね。

I woke up ＋ <u>with</u> <u>the dog</u> ＋ <u>ly ing</u>
<u>on the bed.</u>

も同じで、「犬が寝ていた」わけで「**the dog**」が「**lying on the bed**」に対して主語となりますから、この順番ですね。

I went to bed ＋ <u>with</u> <u>the window</u> ＋
<u>open.</u>

も同じで、「窓が開いていた」わけで、「**the window**」が「**open**」に対して主語となりますから、この順番ですね。

「事が起きた順番」も、付け足す順番を左右する

　「主語かどうか」以外にも、「事が起きた順番」も、付け足す順番に関係します。

たとえば「スキーをしていたら脚が折れた」は

I broke my leg + skiing.

となります。

さらに、「酔っぱらってスキーをしていたら脚が折れた」は、

I broke my leg + skiing + drunk.

となります。

この順番になるのは、「主語」は関係ありません。「事が起きた順番」です。

まず、日本語と英語の順番を比較してみましょう。

- 日本語：酔っ払って＋スキーをしていたら＋脚が折れた
- 英語：I broke my leg + skiing + drunk.

真逆ですよね。

日本語は起きた順番に言います。「酔っぱらって→スキーをして→脚が折れた」というようにです。

英語は逆に、過去に遡る順番ですね。というよりも「結果から話す」という傾向が強いです。

この文のメインポイントは「脚が折れた」ことです。そして、「何をしているときに」「どういう状態で」はその後につづけます。

英語は結果から話すので、日本語とは逆の順番になるんですね。それらも例外がないわけではないのですが、基本的には英語と逆の順番と考えるのが1番楽ですね。

順番が関係ない場合も多い

「主語」も関係してなくて、「起きた順番」も関係しない場合は、どの順番でも大丈夫です。

たとえば、

I woke up + ly ing on the floor + with a hangover.
朝起きたら床で寝ていて、二日酔いだった。

このような文は、くっつける部分の順番を考えなくてもかまいません。起きた順番は関係ないので、「**lying on the floor**」と「**with a hangover**」の順番は関係ないし、どちらも「**I**」にかかってるので、主語だから左側ということもありません。なので語の順番は関係させなくてもかまいません。

だから、

● **I woke up + ly ing on the floor + with a**

hangover.

● I woke up + with a hangover + ly ing on the
floor.

でも大丈夫です。

動詞 ing が２つつづいてもネイティブには自然な文章

たとえば「料理をしていたら指を切っちゃった」は、

I cut my finger + cooking.

ですが、さらに「テレビを観ながら料理をしていたら指を切っちゃった」は、

I cut my finger + cooking + watching TV.

となります。

この文を見たとき、
「**cooking**、**watching** という動詞 **ing** が２つ続いたら不自然じゃない？」という人が多いですね。
これはネイティブからしたら不自然ではなく、ごく自然な文章です。

「**and**」や「**while**」を入れてももちろん大丈夫ですし、実は入れないことも多いのです。

Point

特に、これが信じ難い人も多いので、先ほど紹介したYouTube の動画を作りました。「論より証拠！」ということで、ぜひ観てみてください。

相手の話に相槌的に奇跡の応用を使うこともある

　最後に余談ですが、これまでの言い方を応用すると「人」の文にも付け足すことができます。次のAさんとBさんのやりとりを見てください。

A：I'm busy. （忙しいんだ）
B：Working？ （働いていて？／仕事で？）

　このやりとりでは、Aさんの言葉の相槌として「奇跡の応用」を使っています。日本語でもこのようなやりとりはよく見かけますよね。進行形の省略ではありません。会話の自然な流れです。

A：I'm busy. （忙しいんだ）
B：Doing what？ （何をしていて？）
A：Working. （働いていて／仕事で）

　こういうやりとりもよくありますね。
　このように「奇跡の応用」を会話の中に取り入れていけば、ネイティブの感覚で自然な会話のやりとりをすることができるのです。

ニック・ウィリアムソン（Nic Williamson）

英会話教室「ニック式英会話」主宰。
同名のYouTubeチャンネルは登録者数29万人を超え、人気を博している。
オーストラリアのシドニー出身。シドニー大学で心理学を専攻。同大学で3年間日本文学も勉強し、日本の文化にも明るい。在学中にオーストラリアの日本大使館が主催する全豪日本語弁論大会で優勝。日本の文部科学省の奨学金を得てシドニー大学卒業後、東京学芸大学に研究生として1年半在学。在学中にアルバイトとして英会話スクールで英語を教え始め、卒業後も看板講師として勤め上げる。英語講師として20年間のキャリアの中で、英会話教室をはじめ、企業向け英語研修や大学の講義、SKYPerfect TVの番組の司会やラジオのDJ、数々の雑誌のコラムや8冊の英語本の執筆など、活動の場は幅広い。ゼロから日本語を完璧に習得した経験と、大学で専攻していた神経心理学の知識をもとに、非常に効果的で効率的な独自の言語習得法を開発。著書に『たった30パターンで英会話！「言いたいことが出てこない」をスッキリ解消』『中学レベルの英単語でネイティブとペラペラ話せる本』『中学レベルの英単語でネイティブとサクサク話せる本［会話力編］』（以上、ダイヤモンド社）、『旅の英会話伝わるフレーズ集』（ナツメ社）など。

YouTubeチャンネル「ニック式英会話」
https://www.youtube.com/channel/
UCOk5YQTyq6B9IOZ1FqG54Jw

英語脳を作るアプリ
「ニック式英会話ジム」
https://nic-english.com/apps/

見るだけで英語ペラペラになる
A4一枚英語勉強法

2021年1月24日　初版第1刷発行
2021年2月28日　初版第5刷発行

著者	ニック・ウィリアムソン
発行者	小川 淳
発行所	SBクリエイティブ株式会社
	〒106-0032　東京都港区六本木2-4-5
	電話：03-5549-1201（営業部）
カバーデザイン	三谷 菓
本文デザイン・DTP	株式会社明昌堂
編集協力	黒澤 真紀
編集担当	長谷川 諒
印刷・製本	中央精版印刷株式会社

本書をお読みになったご意見・ご感想を下記URL、QRコードよりお寄せください。
https://isbn2.sbcr.jp/08132

落丁本、乱丁本は小社営業部にてお取り替えいたします。定価はカバーに記載されております。本書の内容に関するご質問等は、小社学芸書籍編集部まで必ず書面にてご連絡いただきますようお願いいたします。
©Nic Williamson 2021 Printed in Japan
ISBN978-4-8156-0813-2